CATHERINE AUBIER

avec la collaboration de
JOSANNE DELANGRE

ASTROLOGIE CHINOISE

FRANCE~AMÉRIQUE

Ascète méditant.

INTRODUCTION

par Patrick Ravignant

Aux abords d'une vieille cité d'Orient, un Sage croisa un jour une bande d'aveugles qui jacassaient, trépignaient, se chamaillaient bruyamment.

« – C'est un pilier! » proclamait l'un.

« – Du tout! du tout! c'est un tapis! » affirmait l'autre.

« – Imbéciles! » hurlait un troisième, « vous n'avez rien compris : c'est un tuyau! »

Les insultes fusaient, et les affirmations contradictoires.

« – Misérables ignorants! moi je dis que c'est un mur!... » « – Une statue!... » « – Une branche!... » « – Un arrosoir!... »

Quelles vociférations!

Le Sage s'approcha, et s'efforça de calmer les esprits pour se faire entendre.

– Vous avez tous tort, expliqua-t-il. L'objet de vos disputes enfantines est en réalité un éléphant, mais selon que vous touchez l'oreille, la trompe, la patte, etc., vous êtes persuadés de tenir, celui-ci un tapis, l'autre un tuyau, l'autre encore un pilier, et ainsi de suite...

La plupart des aveugles ne le crurent pas, et continuèrent à se quereller.

Cette fable est très connue en Orient. Elle illustre une des idées fondamentales des civilisations d'Asie : l'homme ordinaire vit dans un monde particulier, personnel, subjectif. Il est aveugle, en proie aux angoisses et aux violences. Le Sage vit dans un monde ouvert, objectif, impersonnel. Lui seul voit la réalité, telle qu'elle est, lui seul est parfaitement heureux, pacifié, libéré.

Et, d'emblée, nous avons l'impression qu'entre notre sensibilité, notre culture, notre point de vue d'Occidental, et la démarche de la pensée orientale, se dresse une montagne autrement colossale et infranchissable que les Himalayas.

Dans notre mentalité, tout se rebiffe et se révolte, radicalement, contre de telles propositions : comment! on ose me présenter comme le plus haut idéal humain concevable un état « objectif », impersonnel, c'est-à-dire « dépersonnalisé », donc d'indifférence, de neutralité, de désengagement, de sécheresse, voire de platitude. Et on songe tout de suite à une sorte de lavage de cerveau débouchant sur l'hébétude, la négation, le vide.

« C'est que j'y tiens, moi, à ma personnalité, par-dessus tout! Je tiens à mes émotions, à mes ferveurs, à mes orages, même à mes désastres! C'est si intéressant – et irremplaçable! D'ailleurs, n'est-ce pas la base, la substance même de toute invention, de toute création? J'y tiens, moi, à mes désirs, à mes craintes, à mes rêves, dans leur forme spécifique et originale! »

Voilà donc la pierre d'achoppement. Notre civilisation, surtout depuis la Renaissance, a édifié un culte de l'ego, une véritable religion du « moi, je... » qui s'est progressivement substituée au sacré, dans le sens traditionnel du terme. Le sacré lui-même a été peu à peu assimilé à un prolongement, une exaltation particulière de ce « moi, je... » Le psychologique a pris complètement le pas sur la mystique, et la mystique a été réduite à une simple *catégorie* du psychologique.

« Moi, je... *mon* coiffeur, *mon* médecin, *mon* avion, *mes* vacances, *mes* amis, *mon* travail, *ma* famille, *mes* problèmes, *mon* caractère... » Tout, dans notre éducation, nos médias, nos loisirs, tend à glorifier, à exacerber le rôle et l'importance exclusive du *moi*, de l'ego, de l'individu, avec, de plus en plus, un envahissement du vedettariat, des idoles de l'actualité politique ou artistique, un culte de la personnalité.

Le seul dieu qui soit aujourd'hui à peu près reconnu par tous en Occident se nomme psychologie. Bien sûr, il y a des nuances, des écoles, des dissidences. Mais tous, extrémistes, centristes, de gauche, de droite, croyants, athées, tous – qu'ils soient dans l'industrie, le commerce, la fonction publique, la presse ou les professions libérales – s'efforcent de diriger leurs actions, leurs décisions, leurs comportements, à partir des données de la psychologie. La psychothérapie a remplacé la confession et la prière. Les tests, les techniques d'orientation, la caractérologie dominent les affaires, la politique, la publicité. On ne parle plus que d'*équilibre*, d'*adaptation*, de *motivation*, d'*épanouissement*. Un certain langage psychanalytique est devenu d'usage courant. On parle d'inconscient, de refoulement, de frustration, de transfert. Enfin, notre vieille astrologie est elle-même de plus en plus admise comme une branche de la psychologie, une région limitrophe, encore un peu incertaine, brumeuse et hantée de mirages – mais quand même province de l'empire. J'ajouterai qu'il nous est même, à la plupart, quasiment impossible d'envisager autre chose. Que pourrait bien être un monde sans le psychologique, ou au-delà du psychologique?

A cette question, qui nous paraît si incongrue, voire absurde, l'Orient apporte une réponse – toujours la même, depuis de nombreux siècles, quoique sous de multiples formes, religions, pratiques et démarches qui se nomment Yoga, Vedanta, Tantrisme tibétain, Bouddhisme Zen, Taoïsme, pour ne citer que les plus célèbres.

Cette réponse peut se formuler ainsi : l'homme connaîtra un état de plénitude, de béatitude parfaite et sans limites, d'éveil et de libération absolus, s'il détruit le processus du « moi, je... » tout-puissant, s'il dissipe *l'illusion de l'ego,* source de toutes les souffrances.

Voilà l'essentielle différence. Quelles que soient ses méthodes et ses convictions, un psychologue ou psychothérapeute occidental proclame : « Essayons de mieux nous adapter aux conflits, aux tensions, aux contradictions, pour être plus en harmonie, mieux dans notre peau, plus aptes à donner le meilleur de nous-mêmes. »

Le Sage, yogi, lama, moine Zen, ou Taoïste, rétorque : « Même si vous réussissez, il y aura toujours conflit, tension, contradiction. A quoi bon tant d'efforts acharnés si la souffrance doit sans cesse renaître, avec le flux incessant des désirs et des peurs qui sont la substance même de ce moi, de cet ego? Le vrai problème n'est pas de rêver un peu mieux ou un peu moins mal, mais de se réveiller. Notre solution est infiniment plus ambitieuse, et plus radicale. Supprimez l'illusion du « moi, je... » vous supprimerez la souffrance... »

A nouveau notre esprit occidental se rebelle. Qu'est-ce qu'on vient nous chanter avec « l'illusion de l'ego »? Je pense, je ressens, j'aime ou je n'aime pas, j'ai chaud, j'ai froid, j'ai faim, j'ai mal, j'ai du plaisir, de la peine. C'est bien moi, tout cela, qui d'autre? Où est l'illusion?

Bien sûr, nous ne pouvons prétendre, en quelques lignes, résumer toutes les pensées profondes et subtiles de l'Orient millénaire. Soulignons seulement quelques points.

Dire « moi, je... » signifie qu'il y a d'un côté ce que j'éprouve et définis comme *moi,* et puis en face, ou en dehors, tout le reste, le monde, les autres. L'intérieur et l'extérieur, ce qui *est moi,* et ce qui *n'est pas moi.* Moi – mon corps, mes émotions, mes pensées. Le reste – cette chaise, ces gens qui passent, ces étoiles dans le ciel. Entre *moi* et *non-moi,* il y a séparation, fracture, abîme sans fond. Et le propre de la condition humaine est justement ce mur étanche qui m'enferme à tout jamais dans la prison de mon individualité et des mécanismes psychologiques auxquels je suis soumis. Ça paraît évident.

Or cette évidence – qui est notre credo d'Occidental, et qui a inspiré d'immenses chefs-d'œuvre artistiques et littéraires – la Sagesse orientale la nie, catégoriquement. Bien plus, elle y voit précisément le malentendu, l'erreur, le mensonge, l'illusion initiale et fatale.

En fait, l'univers et moi ne formons qu'une seule et même réalité, à la fois mouvante, changeante et indivisible. Je suis le produit chimique, biologique, historique, de la totalité des instants et des phénomènes qui m'ont précédé et façonné, du moindre atome aux plus lointaines galaxies. Je suis l'air que je respire, la nourriture que j'absorbe, les sensations que je reçois, les paroles que je prononce, et celles que j'enregistre. A partir d'où, de quand, puis-je établir une frontière, une démarcation?

En vérité, il n'y a de séparation *que dans la conscience* que j'ai d'une séparation.

Quand je contemple une lointaine galaxie, où finit mon regard, où commence la lumière de cette galaxie?

L'erreur et la souffrance commencent dès que je perçois : « Il y a dualité, il y a moi, et le reste, moi, et quelque chose d'autre... » Tout le message de la Sagesse orientale consiste à retrouver le chemin de l'unification, de la réalité indivisible et indivisée, ou encore du Moi réel et originel, qui n'est pas soumis aux fractionnements de l'espace, du temps et de la causalité, parce qu'il les inclut tous, les englobe tous. Bien sûr, ce Moi réel et unifié ne peut être assimilé ni au corps, ni aux émotions, ni aux pensées, en continuelles fluctuations et métamorphoses. Il est un peu comme l'écran de cinéma dont la pureté ne peut être ni éraflée par les balles de mitrailleuses, ni altérée par les fureurs du film en cours – ou comme le silence, identique à lui-même avant et après les cris et les tumultes.

Pour les Bouddhistes, Maîtreya représente le potentiel de sagesse que chaque individu porte en son être.

Cet état peut-il être vécu et réalisé – au-delà de spéculations intellectuelles excitantes pour l'esprit, mais impuissantes à transformer notre existence?

Tel est le formidable défi de la Sagesse orientale. Tel est l'objet de toutes les pratiques, techniques d'éveil et de méditation, enseignées depuis des générations par les maîtres hindouistes, bouddhistes et taoïstes.

Notre propos ne concerne pas directement cette immense question, à laquelle est consacrée une abondante littérature. Mais on ne peut aborder l'astrologie chinoise, si étroitement liée à la pensée orientale traditionnelle, sans avoir fortement souligné cet arrière-plan philosophique et culturel déterminant.

Car ici se pose un problème crucial : ce qu'on peut espérer de l'astrologie, et l'usage qu'on en fait.

Pour nous, Occidentaux, qui vivons dans le culte de la psychologie et la religion du moi, un thème astrologique doit nous aider à mieux comprendre nos réactions, nos goûts, nos tendances profondes, et lever si possible un coin du voile qui obscurcit les étapes à venir de notre destinée – c'est-à-dire, en somme, apaiser nos craintes et renforcer nos espoirs, nous conforter dans la conviction d'être un individu spécifique et irremplaçable.

Pour les Orientaux, l'astrologie a une toute autre signification et un tout autre but, puisqu'elle s'inscrit dans un monde où, depuis la plus petite enfance, on enseigne que la plus haute réalisation possible de l'homme consiste à dissiper l'illusion de posséder un ego, un moi séparé. L'objectif n'est pas, ici, l'expansion de l'individu, l'épanouissement du psychologique, mais la destruction, la dissolution du psychologique, afin de réintégrer une réalité unifiée.

On peut dire également que si les Occidentaux cherchent à *exalter leur personnalité* à travers un thème astrologique, les Orientaux, eux, n'étudient leur thème *que pour s'en libérer*.

Que peut bien vouloir dire *se libérer* d'un thème astrologique, et comment?

Il faut d'abord insister sur quelques-uns des facteurs essentiels qui distinguent l'astrologie orientale de l'astrologie occidentale, et qui apparaîtront nettement tout au long de cet ouvrage.

Il y a des différences techniques : les Chinois se servent de l'année lunaire, et non solaire; les animaux emblématiques de ce zodiaque s'apparentent non aux mois, mais aux années. Les astrologues asiatiques ont cinq Éléments, au lieu de quatre, ils n'utilisent pas comme nous les positions planétaires, et n'ont rien de comparable à notre Ascendant et à nos douze Maisons.

Toute notre astrologie se base sur un ensemble de corrélations analogiques et symboliques entre les douze signes de notre zodiaque – avec des rapports d'harmonie et de dissonance, d'opposition et de complémentarité. Il y a des liens d'intime parenté, d'invisible sympathie, affinité, identité, entre tel signe, telle planète, telle saison, tel Élément, partie du corps, âge de la vie, moment du cycle végétal, etc. – avec des rythmes binaires, ternaires, quaternaires. C'est la clef de notre zodiaque, le B.A. BA de nos étudiants astrologues.

Ces différences sont apparentes et spectaculaires. Il en est d'autres, plus subtiles, et plus fondamentales.

L'analogie tient aussi une place importante dans l'astrologie chinoise, mais elle n'a ni le même sens, ni la même valeur souveraine.

Chaque signe chinois est un univers en soi, un petit cosmos, comportant des lois et des domaines propres, tout à fait indépendants des autres signes. Créature vivante, douée de pouvoirs et de fonctions spécifiques, cet animal emblématique se déploie dans une dimension particulière, originale, crée sa jungle, son nuage, ou son souterrain, définit ses mesures, ses cadences, sa respiration, sécrète sa propre chimie – ou plutôt son alchimie. Le poids, la masse, la vitesse du Dragon n'obéissent pas aux mêmes lois physiques que ceux du Rat ou de la Chèvre. Un mètre, dans le langage du Tigre, n'est pas tout à fait, ou pas du tout, un mètre dans le discours du Singe. L'or du Cheval n'a pas la même composition moléculaire que celui du Coq ou du Sanglier.

Oui, chaque signe est un petit cosmos complet, où les lois de la gravitation, de l'entropie, de la matière, de l'anti-matière, de l'évolution, etc., sont différentes, et non interchangeables.

Alors, à quoi peuvent correspondre ces créatures étranges, et si déroutantes, pour nous qui cherchons avant tout l'identité d'un élément sous la diversité de ses formes?

C'est ici qu'intervient la notion générale de *destin,* qui n'a pas la même connotation en Asie qu'en Occident.

Nous sommes, quant à nous, farouchement jaloux de notre « libre arbitre », et sur ce point, la plupart de nos astrologues s'efforcent de concilier les implications déterministes de leur art avec les impératifs du libre choix de nos actions. Ce n'est pas une mince affaire, et elle tourne souvent à l'exercice de haute voltige. Enfin, vaille que vaille, on admet que les astres « inclinent », sans

« déterminer absolument ». Les plus habiles proposent une vision « organique », non mécaniste, de correspondances universelles, le monde étant constitué d'éléments liés plutôt par un accord symphonique que par des rapports de causalité. Ce qui laisse évidemment la place à l'espoir d'un libre arbitre aussi indéracinable que vague.

Pour la pensée orientale traditionnelle, les données sont tout autres. Le problème de la liberté se pose, mais en des termes complètement différents.

Parler de « liberté » à propos des actions, réactions, décisions, comportements, constituant la trame de l'existence, apparaîtrait comme une aberration. Est-ce librement que je nais tel jour, telle heure, en tel lieu? de parents riches ou pauvres? que je suis séduisant ou repoussant? doué pour l'histoire, le violon ou la mécanique? débonnaire ou coléreux? que je préfère la mer à la montagne? le cinéma fantastique à la peinture d'avant-garde? Est-ce librement que je choisis de déménager, de m'installer à la campagne, d'inviter mon banquier à déjeuner, de rabrouer mon fils, ou de débarquer chez ma petite amie à minuit? Derrière chaque séquence, il y a d'autres séquences, tout un enchaînement de causes et d'effets.

Or, pour les Asiatiques, chaque individu joue un rôle – celui de sa destinée. Et c'est seulement dans une totale soumission aux nécessités de cette destinée qu'il peut accéder à la seule vraie grande liberté.

« Qui, à part le Sage, explique fort bien Arnaud Desjardins *(A la Recherche du Soi,* Table Ronde), est plus libre que l'acteur de théâtre entièrement soumis au texte par l'auteur et la mise en scène? (...) A l'intérieur de cette soumission complète au texte et à la mise en scène, par le fait même de cette soumission, il vit, pendant deux ou trois heures (pour peu qu'il ait un rôle important), dans une extraordinaire et merveilleuse liberté. L'acteur n'a pas le choix, il est donc sans problèmes. Il est porté par le texte et par la mise en scène, et comme il n'a aucune préoccupation d'aucune sorte pour l'avenir – à la seule condition qu'il connaisse son rôle par cœur, sans trou de mémoire – il vit rigoureusement, d'instant en instant, certain que l'instant suivant sera aisé et harmonieux, puisque pour paraphraser une célèbre formule de l'Islam « tout est écrit ». (...) Le sentiment paisible et serein du comédien demeure, quelles que soient les vicissitudes du rôle. Au moment même où un acteur joue

Mandala évoquant tous les désirs
qui hantent le cœur de l'homme.

en scène sa trahison, sa mort prochaine, sa ruine, il demeure parfaitement serein, même si les spectateurs sont bouleversés par son jeu. Sinon, aucun acteur n'aurait jamais accepté de jouer un rôle tragique, en disant « non, je souffre trop », alors que les rôles tragiques sont très volontiers acceptés par les comédiens. De la même façon, l'homme qui a complètement dépassé le plan de la motivation individuelle vit dans cette paix perpétuelle, du fait de cette adhésion parfaite au mouvement général de l'univers. »

Sur le plan astrologique, son horoscope est pour un Asiatique une sorte de double symbolique, le calque, la réplique, dans les sphères subtiles, de ce rôle qu'est sa destinée. C'est le script, ou la partition. Son problème n'est pas d'être libre – ou pas libre – de la jouer, mais de la jouer bien ou mal. En d'autres termes, de se soumettre assez complètement à son rôle, à son destin de Rat, de Singe ou de Dragon, pour atteindre cette ultime liberté intérieure où il n'y a plus ni Rat, ni Singe, ni Dragon, mais la béatitude éternelle du Bouddhisme et du Taoïsme.

C'est dire qu'il se présente avec ouverture et humilité devant son animal zodiacal et son thème de naissance. C'est lui qui s'adapte à son thème, et non l'inverse – alors qu'un Occidental attend toujours d'un thème qu'il s'adapte à *ses* besoins, à *ses* demandes, et n'y retient généralement que ce qui l'arrange.

Voilà qui explique notamment les innombrables avortements pratiqués par les Asiatiques en 1966, année du Cheval de Feu – réputé catastrophique pour les familles. Tels procédés paraissent évidemment insensés, si on n'accepte pas d'entrer complètement dans cette perception différente de la vie et du destin.

Un petit conte, fort répandu en Orient, permettra sans doute de mieux comprendre cette attitude.

Un tigre terrorisait un village de bergers, dévorant les moutons et saccageant les bergeries. Une nuit, les habitants surprennent le fauve, et le tuent. Or, il s'agissait d'une femelle, et elle laisse un bébé tigre, charmant et sans défense, qui, tout apeuré, se réfugie dans les mamelles d'une brebis. Moutons et bergers, tous adoptent le gracieux petit fauve. Et, grandissant dans la bergerie, celui-ci se comporte en parfait mouton. Il bêle avec les autres, broute l'herbe des prés, fuit devant les chiens, et se serre frileusement dans la bergerie quand tombe le soir.

Le Bouddha.

Plus tard, un autre tigre est signalé dans les parages, semant l'effroi parmi les habitants. Et le petit tigre bêle plaintivement avec les autres moutons, en tremblant de tous ses membres.

Ce nouveau tigre est très redoutable. La nuit où il bondit dans la bergerie, c'est l'hécatombe. Et quelle n'est pas sa surprise de découvrir son petit congénère affolé, caché dans la litière, bêlant à fendre l'âme.

Le grand tigre saisit le petit tigre dans sa gueule et l'emporte dans sa jungle. « Bê!... bê!... » gémit lugubrement le captif. Grand tigre conduit alors petit tigre près d'un lac, et lui montre son image, dans l'eau. « – Regarde ce que tu es vraiment! » Le petit, horrifié, voit tout à coup deux tigres au lieu d'un. La frayeur le secoue de plus belle. Grand tigre l'entraîne alors dans son antre, parmi les carcasses de ses victimes. Là, il lui plonge le museau dans un quartier de viande fraîche, et petit tigre éprouve un bizarre picotement dans les babines, un frémissement d'excitation à la racine des moustaches. Il commence à lécher le sang des proies, quelque chose d'étonnant et d'exaltant surgit lentement du fond de ses entrailles. C'est son tout premier rugissement. Il est enfin lui-même.

Cette histoire a plusieurs niveaux de lecture et d'interprétation. Mais on en revient toujours à la conviction qu'il n'est d'authentique plénitude que dans une entière adhésion au rôle que la nature et les conditions sociales nous ont imparti – que ce soit un rôle de Tigre, de Rat, de Cheval ou de Lièvre. Hors cette prise de conscience, point de Sagesse, point de Libération concevables.

Et voilà pourquoi, si on en croit la légende, c'est le Bouddha lui-même qui assigna leurs fonctions et leurs prérogatives aux douze animaux du zodiaque asiatique – dans l'ordre où ils avaient répondu à son invitation : Rat, Buffle, Tigre, etc.

L'astrologie chinoise inspire et imprègne, depuis des siècles, la vie et le comportement de centaine de millions d'individus, en Chine, au Japon, en Corée, au Vietnam, à un point qu'il nous est difficile de comprendre et même d'admettre.

C'est une technique immense, foisonnante et complexe, un champ de recherche inépuisable, qui ne saurait se réduire au seul examen de l'animal emblématique – pas plus que nos astrologues occidentaux ne pourraient limiter leur travail à la position du Soleil à la naissance. L'établissement d'un thème chinois est une longue et

Mandala.

好也。汝見頭上有髮、髮但是毛、象馬之尾亦皆爾也。髮下有髑髏、髑髏是骨、屠家猪頭骨亦皆爾也。頭中有腦、腦者如泥臊臭逆鼻下之著地莫能蹈者。目者是池決之純汁、鼻中有洟口但有唾腹藏肝肺皆爾腥臊腸胃膀胱但盛屎尿腐臭難論腹爲革囊裹諸不淨。四肢手足骨骨相拄筋攣皮縮、但恃氣息以動作之、譬如木人機關作之、作之訖畢解剝其體節節相離、首足狼藉人亦如是、有何等好而云少雙昔者吾在貝多樹下、第六魔天王莊嚴三女、顏容華飾天中無比欲以壞吾道意、我便爲說身中穢惡卽皆化成老母慚愧而去。今此屎囊欲作何變急將還去吾不取也。逝心聞佛所說惡然慚

délicate opération, qui inclut d'innombrables facteurs qu'on ne peut traiter dans un seul volume.

Cet ouvrage se propose d'entrebâiller quelques portes sur des paysages intérieurs insolites et féériques, où nous devons essayer d'entrer en souplesse, d'une âme fluide et enfantine, aussi libres que faire se peut du carcan de nos habitudes mentales et de nos préjugés rationalistes.

Il n'y a qu'une manière d'enfourcher le Dragon, ou de chevaucher le Tigre : c'est de devenir nous-mêmes écailles, ou pelage à rayures. Sans quoi, nous serons culbutés avant même d'avoir esquissé un geste.

Ci-contre :
les Sermons du Bouddha.

Ci-dessous :
Bonze en contemplation.

Confucius.

L'ASTROLOGIE LUNAIRE

La mythologie chinoise

La mythologie chinoise est d'abord et avant tout une mythologie poétique, c'est pourquoi elle semblera parfois brumeuse, voilée, voire énigmatique à nos petits cerveaux occidentaux épris de cartésianisme. Lecteur, vous qui abordez les rives sinueuses de la mythologie et de la philosophie chinoise, abandonnez tout espoir.

Après vous être égaré dans Lao Tzu (ou Lao-Tseu) et ses multiples traductions, (chaque sinologue détenant la vraie, l'authentique, la seule!) vous balancez entre la crise de nerfs et la dépression profonde. Toutefois, certains esprits pervers pousseront jusqu'à l'abordage du Livre des Transformations – le Yi King. Après quelques nuits blanches, un excès de barbituriques et une overdose de maxiton, vous refaites surface...

Deuxième étape. Vous rangez soigneusement vos livres. Vous êtes dépouillé, nu, tel un ver.

Troisième étape, la méditation.

Taoïsme et Bouddhisme ne sont pas des religions déistes à la manière du Christianisme, mais deux modes de vie trouvant l'éternité dans le Tao, ou élan vital essentiel – et le Bouddha : « l'homme qui est éveillé » et « inondé de connaissance ».

Hélas, il ne suffit pas de s'en être imprégné : ne jamais oublier que nous sommes occidentaux. A notre connaissance, aucune pratique, yoga ou za-zen ne nous bridera les yeux de l'âme. L'homme est un prisonnier, prisonnier de son corps, de la terre, de l'univers. Ce sont ces puissances mystérieuses qui le gouvernent, elles sont faites de la même matière, cela s'appelle l'harmonie universelle.

Cherchons à la découvrir, tentons de nous libérer, d'ouvrir la porte aux intuitions : ce sont elles qui nous guideront vers celle que l'on ne peut nommer, « la Voie n'étant pas la Voie ».

Petit conte philosophique Zen

Un sage, tous les soirs, jetait des graines autour de sa maison. Un de ses disciples qui ne cessait de l'observer, lui demanda un jour :

— Maître, pourquoi jetez-vous ces graines autour de la maison?

— C'est pour en éloigner les tigres, lui répondit le sage. Le disciple respectueux se risqua tout de même à objecter :

— Mais maître, il n'y a pas de tigre dans la région.

— C'est donc que ma méthode est efficace!...

L'Immortelle du Palais Lunaire

L'immortelle se nomme Heng-O. Un jour que son mari Shen-Yi s'était absenté, la jeune femme restée seule, fut surprise et attirée par une lueur blanche qui perçait le plafond. Intriguée, puis inquiète, ses narines frémirent à l'odeur d'un parfum fabuleux. Elle essaya de l'associer à un souvenir de fleur, mais hélas, sa mémoire lui faisait défaut.

Heng-O voulut en connaître davantage. Elle s'empara d'une échelle afin d'atteindre l'endroit d'où provenait cette lueur. Alors, elle découvrit la pierre d'immortalité et la mangea. Descendant l'échelle, elle se trouva légère, légère, libre du poids de son corps. La gourmande sortit afin de s'envoler. Shen-Yi arriva à ce moment, l'attrapa par la taille et l'embrassa. Mais brusquement il découvrit la présence de l'échelle, alors il abandonna les lèvres de sa compagne, puis, il grimpa avec inquiétude à son tour. La pierre d'immortalité avait disparu.

— Heng-O! Que s'est-il passé?

Heng-O, folle de peur, ouvrit la fenêtre et prit son envol. Shen-Yi s'empara de son arc, et chevauchant une aile du vent, partit à sa poursuite. La nuit était claire, la lune pleine. Shen-Yi vit

Clair de lune.

sa femme disparaître dans l'immense sphère blafarde et glacée. Hélas, dans un dernier effort, alors qu'il touchait au but, le vent céda sous lui et il chuta, telle la feuille d'automne.

Heng-O fit son entrée dans le palais lunaire. La vue des rouges canneliers l'émerveilla. Aucune présence humaine ne pouvait venir la troubler. Heng-O était seule. Soudain, le souffle coupé par sa course folle, elle se mit à tousser, expulsant un morceau de la pierre d'immortalité. Aussitôt celle-ci se métamorphosa en un lapin blanc.

L'Immortel du Palais Solaire

Pendant ce temps, Shen-Yi, qui se trouvait juché au sommet d'une haute montagne, découvrit la porte d'un palais, d'où une voix se faisait entendre :

— Entre, je t'attends!

Il traversa couloirs, pièces et salles immenses.

Le dieu des immortels l'implora en ces termes :

— Ne tenez point rigueur à Heng-O, c'était là son destin. Vous allez à votre tour devenir immortel. Votre royaume sera le palais solaire. La lune et le soleil seront unis par les liens du mariage.

Shen-Yi demanda au dieu des Immortels si Heng-O pourrait lui rendre visite.

Non! Vous irez la rencontrer, l'aimer régulièrement. Le soleil fera par son reflet la lumière de la lune. Elle croîtra lorsque vous vous en approcherez, elle décroîtra lorsque vous vous en éloignerez. Votre palais se lèvera et se couchera à des heures précises. Pour cela il vous faudra un bel oiseau au plumage d'or. Ce compagnon chantera...

– à l'heure du lever,
– à l'heure où il est culminant,
– à l'heure du coucher.

Tout comme le lapin blanc, emblème d'Heng-O, image de la femme, ce coq fabuleux sera à l'image de l'homme.

Pleine Lune

Transporté dans le cosmos, Shen-Yi observa la lune qui s'éloignait de la terre.

Ce fut à midi plein que l'oiseau aux plumes d'or et l'immortel pénétrèrent dans le palais solaire. Toutefois, Shen-Yi ne pouvait se résigner à oublier sa déesse du palais lunaire. Il s'éleva dans la direction du disque laiteux qui devint de plus en plus lumineux. Heng-O était seule, triste du bonheur de l'éternité et de la perte de son dieu solaire. Elle caressait son lapin blanc. Après s'être aimés, ils se séparèrent. Shen-Yi regagna son palais et le quinzième jour de chaque mois, il revient pour l'aimer encore. C'est à cette heure-là que la lune est pleine et diffuse sa lumineuse clarté.

Il y a douze mois, il y a douze lunes. Le nom de chaque mois est celui de la lune correspondante. La lune elle même est appelée YUE. (Xavier Figuera et Helen Li, *Tradition Astrologique Chinoise*)

La clef de voûte

Le terme de zodiaque – au sens occidental – ne peut être appliqué au principe chinois, dont le système est basé sur l'équateur céleste et non sur l'écliptique. Le zodiaque lunaire de l'Extrême-Orient représente donc la bande équatoriale et non pas le vrai zodiaque. Par ailleurs, la Chine, bien que traditionnaliste et conservatrice, a fait subir par ses changements de dynastie, plusieurs transformations et réformes au système astrologique, renversant conceptions et doctrines établies. Il y a 28 divisions ou *sieou,* réparties en quatre groupes : Palais Oriental – Palais Septentrional – Palais Occidental – Palais Méridional. Les Palais correspondent aux quatre points cardinaux. Pour les Chinois, chaque saison est essentiellement définie et dominée par les *cycles* lunaires. L'astrologie lunaire est donc capitale dans l'Empire Céleste, en particulier les éclipses lunaires.

A chaque Palais cardinal, animal et couleur symboliques. Au printemps le Dragon Vert – à l'été l'Oiseau Rouge – à l'automne le Tigre Blanc – à l'hiver la Tortue Noire. Un cinquième Palais, dit Palais central correspond à la région polaire, symbole de l'Absolu, du Grand Tout, ou Tao, véritable centre initiatique ne possédant ni couleur, ni animal, car il est monde *non-né, non-créé, non-formé.*

Ces cinq Palais célestes ont pour représentation terrestre l'Empire du Milieu (la Chine), fermé par ses quatre points cardinaux. Voilà la clef de voûte de la cosmologie et de l'astrologie chinoise (*Astrologie lunaire,* par Volguine).

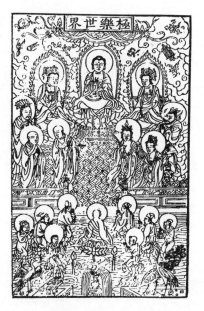

LES CINQ ÉLÉMENTS

Dépouiller le vieil homme

Avant d'aborder les cinq Éléments ou *Agents* (terme plus représentatif de l'esprit chinois et de son principe de mouvance), tout comme pour l'astrologie lunaire et l'art, l'homme devra devenir roseau ou bambou, entrer dans la fresque. Il lui faudra agir, et non subir l'image, l'élément, brisant ses frontières, renversant toute notion de fixité, afin de rejoindre le TAO. L'Occidental reçoit, étiquète, classe, délimite, rationalise, analyse, il appartient à ce monde qui n'est que fresque peinte sur le néant.

Mouvance et fluctuance : Yin et Yang

Ces cinq Agents sont des forces essentielles agissant sur l'univers des signes, voilà le fondement de tout horoscope. Mouvance et fluctuance, Yin et Yang, ces forces-symboles sont en perpétuelle action et inter-action. Le terme chinois Hing, qui les désigne, signifie marcher – agir. Elles suivent l'ordre conforme à la succession des saisons. Le Bois engendre le Feu, qui engendre la Terre, qui engendre le Métal, qui engendre l'Eau, qui à son tour engendre le Bois...

Padmasambhava entouré d'une personnification des Cinq Éléments.

Ces Agents forment un grand cycle qui engendre-protège-entretient-produit, ordre de conquête (ou destruction) mutuelle.

Alchimie et Taoïsme

Ces cinq Agents ont été déterminés par les Taoïstes. Il est intéressant de remarquer qu'à chaque Agent correspond une couleur, étrange correspondance avec le « Grand Œuvre » des alchimistes composé en trois étapes : l'Œuvre au Noir – l'Œuvre au Blanc – l'Œuvre au Rouge. L'Eau se situe au Septentrion, qui est bleu-noir; le Métal, à l'Occident, est blanc, et l'Agent Feu, au Midi, est rouge. A chacun de ces Agents correspond également un nombre magique : à l'Eau le 1, au Feu le 2, au Bois le 3, au Métal le 4, et à la Terre le 5. Aux quatre premiers Éléments correspondent 6-7-8-9; chacun des Agents se trouve en union avec le chiffre 5, symbole du dôme céleste. Le calcul numérologique n'est pas en correspondance avec la succession des Agents.

L'agent Bois

Vous êtes Bois.
A l'Est, dans le ciel, souffla le vent, et de sa tiède caresse à la terre naquit le Bois.
Bois du matin, bois du printemps. Au corps, l'organe Bois est le foie. Le goût qui lui correspond est acide. De nature tempérée, il tend vers l'harmonie qui est sa vertu principale, d'où son amour de la beauté et de l'élégance. Il est de ceux qui entraînent. Toutefois c'est un passionné. Il aime la colère, d'où un grand danger de se perdre, se détruire, attiré par son contraire, dans ses excès de colère et de susceptibilité. Cela ne lui fera pourtant point abandonner son attitude digne.
Par rapport à l'ordre social, le Bois est un détendu, un décontracté; face au système de structures établies, il saura improviser. D'abord et avant tout, il lui faudra créer – imaginer. Le Bois est poète, lui qui est fils du vent et de la terre. Ses racines puisent leur élément vital dans cette terre-mère où elles s'abreuvent, charriant en leurs veines l'énergie nécessaire à relier, à faire

le lien entre terre et ciel. Fils du vent, le Bois est amoureux de la liberté, ce qui donnera des artistes, des poètes ou des agriculteurs...

Le type Bois sera le plus souvent long, fin et droit. Il possédera de jolis yeux, un teint foncé et un système pileux développé, des lèvres rouges, une peau douce et de fines extrémités.

Soyez novateur, en vous sommeille un révolutionnaire prêt à transformer l'organisation collective des hommes – un libertaire peut-être? Vous êtes un géant et vos pieds ne sont pas d'argile...

L'agent Feu

Vous êtes Feu.

Au Sud, dans le ciel, naquit la chaleur, elle descendit sur terre et la féconda. De leur union surgit le Feu.

Feu de la matinée, Feu du midi, Feu de l'été. Au corps, l'organe Feu est le cœur. Le goût qui lui correspond est l'amer. Sa nature est chaleur. Éclat du Feu, Feu prospère qui brûle, Feu qui transforme, qui transmute, Feu intérieur, flamme vive et rapide. Son danger réside en son puissant pouvoir destructeur. Il sait être Feu de joie.

Dans l'ordre social, le Feu représente la guerre. C'est un lucide, un clairvoyant. Mais il sera également violent, irascible, passionné. Un fougueux, un ardent lucide, homme d'action, homme de guerre.

Le Feu apporte la guerre, mais il apporte également la lumière, il purifie. Il est celui que la Terre ne nourrit pas, que l'Eau n'abreuve pas, que le Métal ne durcit pas. Mais il sait être caresse. Fils du ciel et des vents. Le Feu a sa propre conception du monde, des dieux et des hommes. C'est pourquoi il sera souvent un guerrier, un militaire, un homme d'action. Artiste, il sera fanatiquement anti-conformiste. Il lui faudra choisir entre lumière et destruction.

Certains esprits forts consumeront leurs passions, ranimant sans cesse le brasier, véritable buisson ardent d'où jaillira la lumière.

Le type Feu sera souvent un homme au teint coloré, virant au rouge, avec un visage large, un nez busqué, des oreilles aux lobes détachés. Ne vous emportez pas, vous êtes un lucide...

De nature divine, arbre à la cime invisible, cherchez le lien avec les divinités chimériques, mais attention de ne pas réanimer d'anciens bûchers...

L'agent Terre

Vous êtes Terre.

Du ciel, le Zénith humide s'écoula lentement sur le sol, afin d'y engendrer la Terre.

Terre de l'après-midi, Terre à la canicule, Terre humide et chaude de l'été. L'organe Terre est la rate. Le goût qui lui

correspond est le doux. Terre qui imprègne – qui pénètre – se répand – s'infiltre jusqu'à l'inondation, jusqu'au pourrissement – moisissure. Signe d'abondance, de transformation lente, souterraine, sourde, engendrant sa propre fécondation. L'homme Terre sera souvent un méditatif, un contemplatif.

Par rapport à l'ordre social, la Terre est matérialiste, prudente, voire égoïste. Elle symbolise également le réalisme, la fécondité laborieuse; ce sera un rusé, un merveilleux homme d'affaires, un financier subtil...

Le type Terre a le teint mat, les traits lourds, solides, des sourcils fournis, un dos arrondi et un ventre plat. Symbole de la tortue-terre. Elle avance lentement mais sûrement, prudemment.

Terre féconde, Terre aux racines profondes, aux courants

Fête de Agriculture :
la Terre.

rampants et telluriques, à la recherche perpétuelle de sa nourriture. Pélican noir dévorant ses propres entrailles, alimentant sans cesse ses enfants-tentacules, mère dévorante.

A cette Terre il faudra la combustion du Feu, réchauffant ses entrailles afin de pouvoir partir à la conquête des sommets. Maîtriser l'ambiguïté – aller de l'avant, même s'il lui faut employer la ruse, se servir de son égoïsme, sa lenteur. Créer, imaginer. Petit arbre courbé vers le sol, il va falloir sectionner, trancher, tailler pour la grande ascension...

L'agent Métal

Vous êtes Métal.

Venant d'Ouest, dans le ciel, la sécheresse effleura la peau de la terre et engendra le Métal. Vents venus des steppes lointaines à la recherche de la sève vitale.

Métal des soirs d'automne, métal froid. L'organe Métal est le poumon – le souffle, la *pneuma*. Le goût qui lui correspond est l'âcre. De nature froide, clarté, pureté, fermeté. Il est celui qui tranche, qui coupe. Corps-trempé, acéré, rigide, chaste, Métal de la lame, tranchant. Il marque l'arrêt, oscillant entre le beau et la mort. Toutefois il a le sens des réalisations, il correspond aux moissons. Est-il ce fer qui glane?

Dans l'ordre social, le Métal incarne l'énergie, la constance, la parole. L'homme qui porte le fer. Il peut être homme de loi, juriste, avocat. Alors il décide, sanctionne, ordonne, juge, tranche. Attention, trop de rigueur engendre la tristesse et la morosité.

Le type Métal – Teint clair, apparence générale agréable, visage carré, bouche et mâchoire harmonieuses. Mains petites et carrées. Il lui est bon d'être robuste, telle sa terre-mère, en qui il plonge d'insondables racines à la recherche éperdue de l'équilibre. Déchiré entre sa soif de nourriture et son irrésistible attraction vers les cimes mystiques. Il cherchera refuge parfois dans la solitude. Il a horreur de toute forme de collectivité.

Cherchant sans trêve la paix et le bonheur, son seul but est la délivrance de ce corps qui le retient prisonnier, cette puissance pesante qui l'attache. Il lui faudra rompre tous liens afin de s'élancer vers le ciel à la recherche de la vie éternelle.

Vous êtes Métal, vous êtes lame, alors tranchez! Sinon choisissez pour issue l'utopie ou la folie...

L'agent Eau

Vous êtes Eau.

Au Nord, dans le ciel, naquit le froid; descendant sur la terre, il engendra l'Eau. L'Eau pour la Chine est plus synonyme de froideur et de glace que source de fertilité.

Eau des nuits d'hiver, froideur, rigueur et sévérité. L'organe de l'Eau est le rein. Le goût qui lui correspond est le salé. Salées sont ses larmes, d'amertume ou de joie, pour cette belle absence de passion. Eau calme et profonde, Eau mystérieuse, engendrant crainte et respect. Eau dormante, abritant des démons sous-marins qui sommeillent. Eau tonifiante, Eau limpide, ou Eau fétide des marais grouillants de forces convulsives, abri de ceux qui rampent, batraciens et reptiles, puissance féconde, créatrice de boue originelle, Eau solide, constructrice de muraille de glace, placide, fermée, en réserve, elle peut être la marque d'un arrêt total.

Par rapport à l'ordre social, l'individu marqué par l'Agent Eau sait écouter. Il gouvernera avec calme, dominera facilement les masses.

Ce sont des êtres sans histoire. Ils peuvent être d'excellents artisans, de bons commerçants. Homme aux petites racines à la recherche du contact avec la terre, amoureux de la paix. Adieu problèmes et grandeurs, l'homme Eau ne désire qu'être Homme. Excellent père de famille, mère généreuse.

Vous êtes Eau. Brisez la glace, viennent la bise, les vents, la tempête. Faites surgir vos démons intérieurs, détruisez les ponts, les digues, les barrages. Engagez-vous, reconstruisez d'autres terres à votre image. Partez à la découverte. Attention, la passivité engendre l'envahissement, la stérilité, la castration, la mort lente par asphyxie...

La Vague, par Hokusaï.

L'ORDRE CÉLESTE : TAO, YI-KING ASTROLOGIE

« Le mille-pattes était heureux, très heureux,
Jusqu'au jour où un crapaud facétieux
Lui demanda : « Dis-moi, je t'en prie, dans quel
ordre meus-tu tes pattes? »
Cela le préoccupa tant et tant
Qu'il ne savait plus comment faire
Et qu'il resta immobilisé dans son trou! »

« L'intelligence qui n'est pas consciente du positif et du négatif implique que le « cœur » est à l'aise... Et celui qui, commençant avec aise, n'est jamais gêné, est inconscient de l'aise qu'il y a d'être à l'aise. »

Le Taoïme est d'abord et avant tout un mode de libération spirituelle, un affranchissement fondamental et global de toutes les servitudes inhérentes à la condition humaine. Son but est de libérer des conventions et de révéler le pouvoir créateur du Tao. C'est pourquoi il est très difficile de dépecer, analyser, formuler, écrire, décrire, fractionner, diviser en mots et symboles, sans déformer! Le Taoïsme est une philosophie vitaliste, mobile, vivifiante, naturaliste; c'est une démarche qui vise à s'intégrer au Réel, non à le dominer. Face aux philosophes occidentaux, on ne pourra

Ci-contre et page 37 : les éléments magiques et astrologiques
de l'ésotérisme tibétain.

que constater une façon de penser en « dedans » et non en « dehors ». Il leur faut des frontières, œillères, ornières bien tracées. Malgré des efforts et des « nouvelles conceptions », ils retournent inévitablement aux sempiternelles notions anciennes, monistes, réalistes ou mécanistes. « Le Tao est au delà des existences matérielles. Il ne peut être communiqué ni par des mots, ni par le silence. Ainsi parlait Chuang-Tzu. » (*Le Bouddhisme Zen*, Alan W. Watts.)

Ne restons pas immobile, terré dans notre trou, mouvons nos pattes sans nous occuper de l'ordre de mouvance. Pourrions-nous avancer si nous devions calculer à chaque instant la longueur de nos pas, et l'intensité de l'effort musculaire?

Le caméléon et la trame

King signifie *la trame,* l'étoffe tissée de vérités non changeantes. *Yin* se traduit par caméléon, équivalent du changement, de la mutation, ou changement énergique et complet. A mutation nous préférerons Transformation, plus proche de métamorphose. Le changement dans les formes contrôlées et vécues par l'Être, sans atteindre, ni entamer son mystère profond. La poétique chinoise laissera « mutation » au scientifique, à l'administratif, au juridique.

Puisque Yin est caméléon, écoutons Lao-Tseu :

« Les cinq couleurs éblouiront l'œil de l'homme... C'est pourquoi le sage fera des provisions pour l'estomac et non pour l'œil ». Ne soyons pas ce mille-pattes handicapé. Il existe une gamme infinie de nuances, sachons juger d'après le contenu concret, et non en fonction de normes et de théories. Brisons l'inhibition entretenue par des méthodes et des techniques formelles. Libérons le pouvoir créateur. Ne pas dissocier, ne pas classifier, faire tomber le masque et découvrir la subtilité, retournons à notre mystère foncier. La poésie est au sage le lien nécessaire, dans son approche de la divinité. Devenons chaman, partons à l'ascension du ciel, chevauchons l'animal magique, tentons de rejoindre le Grand Tout, le TAO, l'Incréé.

Des Quatre Éléments d'Hippocrate – chers à l'astrologie – aux Pa Koua du Yi King, il n'y a qu'un pas. Plongeons dans ce flot d'images-symboles, devenons l'abîme vertigineux, le lac aux eaux dormantes, devenons ciel et tempêtes, vents et Terre, montagne initiatique, Feu dévorant, grondements et tumulte du tonnerre.

Les abîmes du savoir...

« Un jour, le père convoqua ses trois fils et leur dit :
– Mes fils j'aimerais mesurer vos connaissances. Vous allez quitter cette pièce et vous ne reviendrez que lorsque je vous appelerai. »

Auparavant, le père disposa une cruche pleine d'eau au dessus de la porte, puis il appela son premier fils. Celui-ci ouvrit la porte avec violence et reçut la cruche sur le crâne, ce qui ne manqua pas d'amuser le père. Le second entrouvrit la porte avec prudence et fut légèrement mouillé, ce qui fit sourire le père. Le troisième fit un détour et emprunta une autre porte... »

Il va nous falloir nous aussi emprunter une autre porte, afin de ne pas prendre 300 ans d'histoire de la Chine, et tout ce qui a été pensé de grand et d'essentiel, sur le sommet du crâne. Inutile de chercher à entrouvrir en espérant obtenir le fruit de la sagesse la plus achevée de plusieurs millénaires sans se « mouiller », s'impliquer. Optons pour la troisième solution, le détour...

Le Koua est une image-symbole, un code. Il y a 64 hexagrammes dans le Yi King dont huit trigrammes ou « lames majeures » :

- Kien – le créateur – le ciel
- K'ouen – le receptif – la terre
- Tchen – l'éveilleur – le tonnerre
- Souen – le vent – le doux
- K'an – l'abîme, l'insondable – l'eau
- Lî – le feu – la flamme – ce qui attache
- Ken – la montagne – l'arrêt – l'immobilisation
- Touei – le lac

A l'origine, le livre des Transformations n'était qu'un ensemble de signes destiné aux oracles. Deux traits le symbolisaient – un trait plein, ou *Yang,* signifiant *Oui* – un trait brisé ou *Yin* signifiant *Non.* Plus tard, le trait simple donna naissance à des combinaisons par redoublement. Le troisième élément qui vint s'ajouter fut la série des huit trigrammes, images du ciel et de la terre. Images guidées, gouvernées par la notion d'une transformation incessante, mutation et passage constants d'une forme à une autre, alchimie universelle. Ces huit images clefs symbolisent des états de passage. Mouvance et fluctuance, soleil et lune, Yin et Yang, double miroir, multiples facettes, mutiples interprétations, images-fioles distillant leur propre essence.

Le Yi King n'est pas un banal ouvrage de divination. Suite à son évolution, il participa avec l'homme à la formation de son destin : c'est la connaissance intérieure du germe, le germe dont tout dépend, et qui agit sur la naissance des choses.

T'ai ki ou la poutre faîtière

La philosophie désigna l'origine des origines, ou origine première par un cercle nommé Wou Ki, à l'intérieur du cercle T'ai Ki, le clair et l'obscur, le Yin et le Yang.

Le Devin
revêtu des symboles
du Yi-King.

Pour Le Yi King, T'ai Ki, ou poutre faîtière, résume, en une ligne, un trait, *qui n'est qu'un*, la dualité du monde. Ensuite pourront s'impliquer le haut, le bas, la gauche, la droite, etc...

L'existence n'est qu'un « grand échiquier » en transformation perpétuelle, liée au jeu des forces et des passages : cycle fermé, alternance du jour et de la nuit, de l'été et de l'hiver, soumis à la loi qui pénètre toute chose, le TAO.

Les huit Koua et l'ordre céleste

Il y a quatre mille sept cents ans, Fou Hi traça et replaça les Koua par paires d'opposés, selon l'ordre céleste, les situant ainsi dans l'espace et le temps. Distribués aux quatre points cardinaux, qui, comme nous l'avons déjà remarqué, correspondent aux quatre Palais célestes et aux huit et demi saisons lunaires chinoises.

— Au Sud et à l'été correspond K'EN, le ciel.

— Au Nord et à l'hiver correspond KOUEN, la terre.

— Au Nord-Est et à la fin de l'hiver, début du printemps correspond TCHEN, le tonnerre.

— Au Sud-Ouest et à la fin de l'été – début du printemps correspond SOUEN, le vent.

— A l'Ouest et à l'automne correspond K'AN, l'abîme.

— A l'Est et au printemps correspond L'I, le feu.

— Au Nord-Ouest, à la fin de l'automne et au début de l'hiver correspond KEN, la montagne.

— Au Sud-Est, à la fin du printemps et au début de l'été correspond TOUEI, le lac.

Chaque hexagramme est composé de la superposition de deux trigrammes. Les huit trigrammes de base du Yi King engendrent ainsi les soixante-quatre hexagrammes ou combinaisons différentes.

A l'aide de ces soixante-quatre hexagrammes placés dans un ordre céleste scrupuleux, nous pouvons observer les trigrammes inférieurs, les Koua de base. A huit bases indentiques succèdent huit autres semblables jusqu'à ce que la boucle – le cycle – soit fermée. Ceci représente le zodiaque binaire de Fou Hi. (*Les Secrets de l'Astrologie du Yi King*, Yves Thierry – Elsevier.)

*Le célèbre schéma
de l'évolution circulaire
des deux principes,
Yang blanc, Yin noir.
Au moment où l'un est à son apogée
(partie renflée),
l'autre se substitue à lui insensiblement
(partie effilée).
Chacun porte en soi le germe de l'autre,
figuré par l'œil de couleur contraire
dans la partie renflée.*

LES CARTES
MAITRESSES
DE VOTRE JEU

Vous êtes né : RAT – BUFFLE – TIGRE – LIÈVRE – DRAGON – SERPENT – CHEVAL – CHÈVRE – SINGE – COQ – CHIEN – SANGLIER.

Votre Agent est : LE BOIS – LE FEU – LA TERRE – LE MÉTAL – L'EAU.

Votre tendance est YIN – YANG.

Votre domaine – votre univers – est en rapport avec votre animal emblématique.

Vous êtes RAT – maître des souterrains.

Vous êtes BUFFLE – enraciné à la terre – tenace.

Vous êtes TIGRE – seigneur de la jungle.

Vous êtes LIÈVRE – prudent et niché au fond de votre terrier.

Vous êtes DRAGON – gardien de trésors, emblème de l'empereur.

Vous êtes SERPENT – intuitif – sinueux – prince des méandres.

Vous êtes CHEVAL – fougueux et ardent – souffle qui grossit le torrent.

Vous êtes CHÈVRE – amoureux du nuage – faiseur de pluie.

Vous êtes SINGE – vent d'ouest fantasque et chevaleresque.

Vous êtes COQ – maître du commun – franc et volontaire.

Vous êtes CHIEN – gardien des frontières – inquiet.

Vous êtes SANGLIER – maître du Palais – sensuel et tolérant.

Quelle est votre lune? de quelle direction soufflait le vent à votre naissance? A chaque question, une réponse.

A quelle heure êtes-vous né? A votre heure se lève un second animal emblématique : en rien il ne ressemble à notre Ascendant de l'astrologie occidentale. Ce sera un ami – compagnon de route – un ennemi avec lequel il faudra lutter – dualité permanente, symbole et présence du Yin et du Yang.

A votre animal, en fonction de sa tendance, de son orientation et de son domaine, correspondent un ou plusieurs hexagrammes à méditer.

Disposition spatiale des 12 animaux emblématiques

CHIEN-LIÈVRE-SINGE/OUEST
TIGRE-COQ-DRAGON/EST
SANGLIER-RAT-BUFFLE/NORD
CHÈVRE-CHEVAL-SERPENT/SUD

Un animal – un compagnon – un Agent – une tendance – un poème.

Cinq cartes majeures président à votre destin. Elles sont le germe. Vous êtes le fruit. Le nombre 5 est un nombre sacré, un nombre magique. Organisateur de l'harmonie universelle – Totalité – Unité – TAO.

*Le Royaume mythique
de Sambhala,
et la représentation symbolique
des quatre points cardinaux.*

LE RAT

31-1-1900 au 19-2-1901
18-2-1912 au 6-2-1913
5-2-1924 au 25-1-1925
24-1-1936 au 11-2-1937
10-2-1948 au 29-1-1949
28-1-1960 au 15-2-1961
15-2-1972 au 2-2-1973

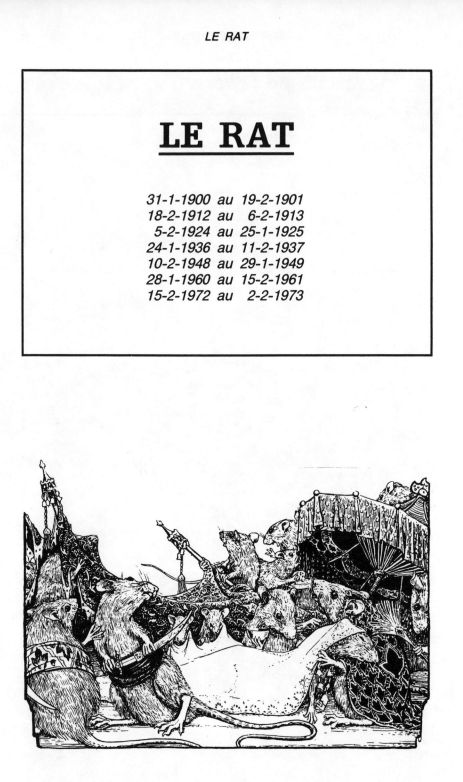

Vos points de repère

L'envoûtant Rat dit : (d'une voix suave) déshabillez-vous, ou étonnez-moi...

Entame une cour : équivoque sans équivoque.

Son désir : qu'on l'aime à la folie, qu'il vous aime avec passion, bref il ne peut se reposer que sur des tisons ardents.

Vous trompe : ne voyant pas comment il pourrait faire autrement, avec une touchante sincérité et d'émouvants regrets.

Il adore : le baroque, l'étrange, les châteaux en Bavière perdus dans la brume, et le bal-à-Jo.

Ne supporte pas : le quotidien, les montres, les carnets, les pantoufles et les albums de famille.

Décide : que c'est à vous de décider, pour mieux vous mettre devant l'évidence que vous ne pouvez décider sans lui.

Gros défauts : amoral, individualiste maladif, pas toujours honnête, fantasque, dur à vivre...

Principal atout : imaginatif et sincère, même dans sa mauvaise foi.

Côté détente : les maisons abandonnées le réjouissent, l'humour noir ne lui déplaît pas, et la nature sous un soleil brûlant, en pleine tempête, sous l'orage, ou prise dans la glace.

Côté finances : ignore le mot économie, ou entasse ses trésors, genre caverne d'Ali Baba. Aucun sens de l'argent, tendance au rapt et au détournement de fonds.

Symbole : le souterrain.

Couleurs : rouge et noir.

Plantes : sarriette-absinthe.

Fleurs : orchidée noire, chardon et tubéreuse.

Métiers Rat : écrivain, critique, trafiquant, aventurier en tous genres, homme politique extrémiste de gauche ou de droite, surtout pas centriste ni démocrate, anesthésiste, taxidermiste, médecin légiste.

Il aura de la chance s'il naît par une nuit d'été.

Vos traits psychologiques et symboliques

Votre tendance est YIN.
Vous vous tenez au NORD.

Vous appartenez au solstice d'hiver.

Vous êtes le maître du souterrain. Charmeur, calme, envoûtant. Derrière votre masque d'ange, vous rongez vos ailes. Danger à celui ou celle qui n'acceptera pas la descente aux enfers. En vous sommeille un contradicteur, un « luciférien » – prince des ténèbres, vous videz la coupe, même si le breuvage est amer.

Vous êtes également un merveilleux romantique, amoureux de la rose rouge et l'orchidée noire. Vous évoluez dans un univers fantastique, fantasque. Sentimental, vous balancez entre le vampire et la victime – qu'importe pour vous, ce n'est qu'une question d'esthétisme. Chaque jour qui se lève, il vous faut refaire le monde. L'imagination est votre force. Vous avez en horreur le quotidien, la routine, les principes et les dogmes. Vous comprendrez aisément qu'il vous sera difficile d'être tout à la fois bon mari, excellent père de famille, tout en oscillant perpétuellement entre un Méphisto en cape rouge et un Don Juan au masque de velours.

A Delly et Bourget vous préférez Sade et Bataille, ou bien encore vous êtes de ceux qui se précipitent sur le premier bout de pellicule fantastique, tel un chien sur un os. Quant à la collectivité, elle vous donne froid dans le dos. Le Rat déteste la foule, le groupe, c'est un solitaire, un maniaque de l'indépendance, un individualiste forcené. Pour le Rat, une seule morale, la sienne. En vous grattant à rebrousse-poils, on pourrait facilement découvrir, sous la pelisse, un révolutionnaire, un anarchiste, un libertaire. Vous êtes le portrait-robot de l'homme libre. « Ni Dieu, ni Maître », ni chaînes, ni entraves.

Vous appliquez avec art la devise : « Pour vivre heureux, vivons cachés ».

Qui est ce Rat, maître des souterrains?

Blanc ou noir, destructeur ou guérisseur, pilleur de greniers et de caves, ravageur de moissons, usurpateur et mystificateur? Rat prospère et prudent engrangeant ses récoltes au plus profond de son univers? Accumulateur de richesses profanes et spirituelles, il se transformera en gardien redoutable afin de protéger son butin. Il n'est pas de ces êtres qui aiment à être percés, mis à jour. Travailleur nocturne il opère en silence, c'est un méticuleux, un prudent. Il participe au règne des puissances telluriques. Architecte des sous-sols, il sonde et trace en profondeur. Agressif, car mal aimé, lui qui est si souvent le symbole du dénuement, de la cupidité, traqué-piégé-empoisonné, il rendra dent pour dent.

Sa force est l'observation, l'imagination, la création.

Dans les entrailles chaudes de la terre, là où murissent les

Images, Messages, Oracles du Yi-Ving en rapport avec le RAT

SZE/L'ARMÉE

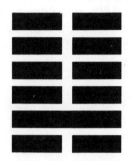

Eh Haut K'ouen – le réceptif – la terre
En Bas K'an – l'insondable – l'eau

Eau qui s'accumule à l'intérieur de la terre, force stagnante, invisible en temps de paix, prête à surgir telle la source se faisant puissance.

Dedans danger, dehors habileté et commandement.

Au milieu de la terre était l'eau...

P'I/LA STAGNATION-L'IMMOBILITÉ

En Haut K'ien – le créateur – le ciel
En Bas K'ouen – le réceptif – la terre

Ciel en haut qui se retire
terre en bas s'enfonçant dans la profondeur
stagnation d'un automne qui se prépare
au dedans tout est obscurité
au dehors tout est lumière
le ciel et la terre ne s'unissent plus...

germes de toutes choses, le rat médite ou rumine sa prochaine sortie... Brandira-t-il l'étendard de la peste ou celui des récoltes? Sera-t-il ce contradicteur rongeur d'âme, lové au cœur du « sage », ou monture du dieu, porteur du contre-poison? Mort et résurrection, connaissance et non-connaissance, il est compagnon de la taupe et du serpent, de ces êtres qui rampent, creusent, rongent. Animal parasite, marginal, chienlit, créateur, observateur qui dérange, que l'on écrase, guillotine ou garotte. Semeur de révoltes – agitateur de bannières redoutables et mystérieuses, poison social et antidote, grignoteur de faux piliers, sapant les édifices politiques, religieux ou profanes les plus robustes...

Conte Zen

Grandes oreilles

Maître Muso vivait parmi les mendiants sous les ponts. Sa vivacité d'esprit était célèbre, et l'empereur était curieux. Un jour, celui-ci envoya un messager; mais les recherches furent vaines. Muso se dissimulait.

Le messager avait toutefois remarqué un mendiant au regard aigu, au nez fort et aux grandes oreilles; ce ne pouvait être que Muso. Il essaya donc un stratagème; s'adressant au groupe de mendiants, il dit :

« J'ai ici des pièces de monnaie; elles sont à vous si vous réussissez à me les prendre sans vous servir de vos mains. » Aussitôt, ce mendiant donna un coup de pied dans les mains du messager, et les pièces volèrent partout.

Et le messager comprit.

« Maître Rat »... ou l'art de la ruse.

Côté cœur

Il est rare que le natif du Rat ait une vie sentimentale simple, paisible et sans complications. Sa tendance à vouloir dominer, à avoir le dessus (n'oublions pas qu'il vint le premier à l'appel de Bouddha) liée à sa capacité de vivre des passions violentes,

QUELQUES RATS CÉLÈBRES

Citons, parmi les personnalités qui ont marqué l'histoire politique et militaire :
Charles Ier d'Angleterre, Necker, Lawrence d'Arabie, Himmler, Jimmy Carter, Raymond Barre.
Dans le monde des arts, des lettres et du spectacle :
Shakespeare, Boileau, Beaumarchais, Racine, Béranger, Daudet, Charlotte Brontë, Anna de Noailles, George Sand, Tolstoï, Sainte-Beuve, J. London, Saint-Exupéry, Prévert, Ionesco, Mozart, Rossini, Scarlatti, Watteau, Fragonart, Rodin, Toulouse-Lautrec, Ingres, Monet, Odilon Redon, Vlaminck, Sacha Guitry, Maurice Chevalier, Depardieu.
Autres exemples :
Sainte Cécile, Lucrèce Borgia, Mata-Hari.

profondes, rares – pas à la portée de tout le monde, inutile de le dire – ne lui facilite pas les choses. En outre, aimer oblige souvent à livrer à l'autre une partie, sinon tout, de soi-même; c'est difficile pour notre Rat secret qui se sent vite « violé », et hésite entre la confiance et l'agressivité protectrice.

Il peut trouver son bonheur avec les signes qui se laisseront dominer par lui... Ou lui en donneront l'impression. Il peut également rencontrer la passion avec ceux qui s'avèreront capables de provoquer son admiration, par leur capacité de faire face à des situations extrêmes.

Les rapports du Rat avec le Tigre ne seront pas de tout repos, mais dureront, à condition que le Rat respecte les accès de bougeotte du Tigre. Avec le Buffle, tout ira bien : le Buffle individualiste respectera les secrets du Rat, et lui sera fidèle.

Le Rat admirera le Dragon et l'aimera aveuglément, passionnément... Leur entente sera merveilleuse, quand le Dragon s'en apercevra. Avec le Serpent infidèle, ce sera possible aussi – à condition que le Rat soit très amoureux, et très aveugle...

L'honnêteté du Sanglier lui semblera de la naïveté, la fantaisie de la Chèvre de l'inconscience, la faconde du Cheval de la vanité – et il n'aura jamais tout à fait tort. Qu'il réfléchisse avant de se lier à eux. Et surtout, qu'il évite le Lièvre et le Singe – entre eux, l'incompréhension serait totale. Le Rat s'ennuiera avec le Lièvre et se laissera détruire par le Singe, qu'il croira faussement pouvoir dominer.

LE BUFFLE

19-2-1901 au 8-2-1902
6-2-1913 au 26-1-1914
25-1-1925 au 13-2-1926
11-2-1937 au 31-1-1938
29-1-1949 au 17-2-1950
15-2-1961 au 5-2-1962
3-2-1973 au 22-1-1974

Vos points de repère

L'imperturbable Buffle dit : si vous y tenez...

Entame une cour : réservée, mais quelquefois déconcertante.

Son désir : en n'importe quelle circonstance, se sentir libre d'abord et avant tout.

Vous trompe : car c'est un maniaque de la conquête sous toutes ses formes, et il ne s'encombre guère de scrupules.

Il adore : se retrouver seul, laisser libre cours à son originalité, prendre son temps et jouir pleinement des choses.

Ne supporte pas : l'échec, la foule, les débordements sentimentaux, être subalterne.

Décide : qu'il est seul à pouvoir mener les autres, à être capable d'organiser, prévoir, avoir raison.

Gros défauts : égoïste, mauvais joueur, complexe du conquérant, être le premier à fouler le sol ou vous faire chavirer...

Principaux atouts : tenacité, équilibre, patience.

Le Buffle.

Côté détente : il lui faut de grands espaces, vierges de préférence, aura besoin de vous à ses côtés, mais n'acceptera pas de remarques lorsqu'il vous plantera froidement en pleine campagne.

Côté finances : un peu regardant question argent. Supporte mal les associations.

Symbole : la lune.

Couleur : vert.

Plantes : thym, lierre et sauge.

Fleurs : pivoine et violette.

Métiers Buffle : Homme d'état, de guerre, d'action, mécène, archéologue, meneur de secte et de grandes entreprises, économiste.

Vos traits psychologiques et symboliques

Votre tendance est YIN.
Vous vous tenez au NORD.
Vous appartenez au solstice d'hiver.

Buffle, vous êtes celui qui ouvre et creuse le sillon. Buffle-Bœuf-Taureau, on ne peut vous dissocier. Tantôt animal sacré, sacrifié ou sacrificateur. Bœuf des ouvrages de la terre, lent et tenace. Taureau symbole de virilité, puissance et fougue, redoutable minotaure, gardien du labyrinthe, force créatrice fécondant la terre. Vous êtes né de ses entrailles, germé de son humus, vous semblez surgir de ce sol détrempé, enraciné à la glaise profonde.

Buffle vous êtes un solitaire, un original. Vous déconcertez votre entourage par votre rigueur et votre aspect violemment individualiste. En collectivité vous n'acceptez que le rôle de meneur. En politique vous êtes un pragmatique. Mauvais joueur, vous ne supportez pas l'échec. En amour vous êtes d'abord et avant tout un sexuel. Votre sensibilité est modérée, ou tout au moins soumise à votre raisonnement. Vos élans sont plus réfléchis que romantiques. Rangez vos grandes déclarations, vos passions débordantes : le Buffle reste imperturbable. De plus, il tremble pour sa sacro-sainte liberté. Dès sa plus tendre enfance il rêve d'espace et de terres vierges. C'est un conquérant qui n'aime guère que l'on marche

Images, messages, oracles du Yi-King
en rapport avec le BUFFLE

K'OUEN/LE RÉCEPTIF

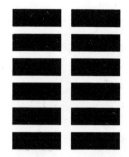

En Haut K'ouen – le réceptif – la terre
En Bas K'ouen – le réceptif – la terre

Puissance originelle du Yin sombre – malléable, réceptive –
Don de soi, buffle qui se voue, s'abandonne, se consacre,
complément du créateur
nature face à l'esprit
terre face au ciel
spatial face au temporel.
Le Buffle appartient à la Terre.

PI/LA SOLIDARITÉ – L'UNION

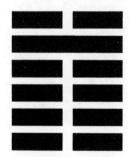

En Haut K'an – l'Insondable – l'eau
En Bas K'ouen – le réceptif – la terre

Les eaux sur la terre s'unissent
Les fleuves se rassemblent et se jettent dans la mer
Force et direction conservent l'union
« Vise toujours au Tout »...

La rivalité des Buffles.

dans ses traces, et un entreprenant organisé. Pour lui, seule compte l'harmonie de son grand équilibre intérieur et de sa personnalité.

Au besoin, ce sera un comédien génial, étonnant : ce Buffle égoïste ne reculera devant aucun rôle pour arriver à ses fins. Toutefois c'est un lent, il sait prendre le temps de jouir pleinement de toute chose. C'est un épicurien. Symbole du mâle, il est redoutable.

Solitaire aux cornes d'or, puissance de la matière-terre à travers labyrinthe et sillon, il ne va pas à votre rencontre.

Conte Zen

Buffle

Le roi Hashinoku parlait avec la reine : « Le monde est vaste, mais qui aimez-vous plus que vous-même ? »

« J'aimerais vous dire que je vous aime plus que moi-même mais, en réalité, c'est moi que j'aime le plus », répondit-elle. Alors le roi répliqua :

« C'est vrai, moi aussi, je suis plus important que quiconque. » Ainsi parlaient-ils. Leurs paroles étaient justes, mais à cause de leur ego, ils ne pouvaient pas s'accorder. Alors ils décidèrent de rendre visite au Bouddha Shakyamuni, et ils lui racontèrent leur conversation.

« Bien sûr, vos réponses respectives ne sont pas erronées », répondit-il. « Finalement tout homme s'aime soi-même, et chacun est important pour soi-même. Aussi ne dérangez pas les autres... »

Qui s'aime vraiment soi-même, complètement, aime aussi les autres.

Côté cœur

Le Buffle, obsédé par sa liberté personnelle, trônant tout seul au milieu de sa rizière, est capable, curieusement, de se laisser gentiment dévorer par des voisins habiles et discrets – en apparence. C'est ainsi qu'il s'entendra bien avec le Serpent, qui ne

QUELQUES BUFFLES CÉLÈBRES

Citons, parmi les personnalités qui ont marqué l'histoire politique et militaire :

Vercingétorix, Henri IV, La Fayette, Napoléon, Richard-Cœur-de-Lion, Zapata, Blanqui, Clemenceau, Hitler, Salazar, Nehru, Géronimo.

Dans le monde des arts, des lettres et du spectacle :

Aristote, Dante, Bach, Rubens, Auguste Renoir, Van Gogh, Dubuffet, Cocteau, Van Dongen, Berthe Morisot, William Blake, C. Chaplin, Walt Disney, Vivian Leigh, Claude Lelouch.

Autres exemples :

Montgolfier, Cuvier, Larousse et Malraux.

demande qu'à avoir une sécurité affective – en marge de ses écarts superficiels. Il ne manquera pas de regagner, entre deux incartades, le foyer où le Buffle règne en Seigneur et Maître. Il en sera de même pour le Coq, dont les cocoricos triomphants n'entameront pas la tranquille confiance du Buffle.

Le Buffle sera heureux avec le Rat, qu'il rassurera, avec les autres Buffles, qui le comprendront. Il aura des rapports plutôt faciles avec le Chien (qui gardera sa maison) et le Lièvre, attaché à son confort. Ces deux derniers signes trouveront chez le Buffle un rempart à toute épreuve qui les protégera des injustices et des imprévus douloureux.

Mais le Buffle, qui accorde davantage d'importance à son indépendance qu'à la passion, tout en attendant de ses partenaires une certaine régularité, ne s'entendra guère avec la Chèvre rêveuse et inconstante, le Tigre aventureux, le Singe trop instable, et le Cheval caracolant. Il les trouvera superficiels, imprudents, velléitaires, inconscients... Souvent il sera séduit par ces différences, croira que tout est possible, même combler les ravins d'incompréhension les plus profonds... Et il sera malheureux, car il n'est pas assez psychologue, ni assez tolérant pour assumer ces différences.

Le Dragon le fascinera, pour un temps, puis prendra la fuite, exaspéré par les critiques du Buffle. Ils n'accepteront jamais de se laisser dominer l'un par l'autre...

LE TIGRE

8-2-1902 au 29-1-1903
26-1-1914 au 14-2-1915
13-2-1926 au 2-2-1927
31-1-1938 au 19-2-1939
17-2-1950 au 6-2-1951
5-2-1962 au 25-1-1963
23-1-1974 au 10-2-1975

Vos points de repère

Seigneur Tigre dit : une nouvelle proie à mon tableau de chasse...

Entame une cour : faite de séduction, genre œil de velours et babine retroussée sur une mâchoire redoutable, prudente, royale, mais ne vous laissant pas le choix.

Son désir : être le meilleur en tout, n'hésite pas à prendre des risques, mais veut être le premier.

Vous trompe : par goût de collection, pour entretenir sa forme et par appétit.

Il adore : être indépendant, maître à bord, prendre des risques, partir à l'aventure.

Ne supporte pas : la concurrence, l'obéissance et la médisance, particulièrement lorsque c'est lui qui est concerné.

Décide : le premier, afin de n'en pas laisser le soin aux autres, de se mettre en avant, d'agir en grand seigneur.

Gros défauts : très personnel, parfois dur, mauvais caractère, inconscient du danger.

Principal atout : courageux, de parole.

Côté détente : adore les expéditions en mer, montagne, safari, même si elles sont hasardeuses, continuera sa route, en vous traînant si cela est nécessaire, histoire de vous prouver que toutes les épreuves sont surmontables.

Côté finances : adore lancer des idées nouvelles, sait prendre des risques à condition que se soit lui l'instigateur.

Symbole : Yin et Yang.

Couleurs : orangé et or brun doré.

Plante : le bambou.

Fleur : héliotrope.

Métiers Tigre : Tous ceux qui contiennent du Chef : chef-cuisinier, chef pilote, tireur d'élite, président, chef de gare, adjudant en... Chef (prononcer doucement l'adjudant et articuler clairement « en chef! »).

Il aura de la chance s'il naît entre le lever et le coucher du Soleil.

Vos traits psychologiques et symboliques

Votre tendance est YANG.
Vous vous tenez à l'EST.
« Vous êtes né le 7ᵉ mois, période de formation du Yang céleste. »

Chef de tous les animaux, roi à la robe rayée, symbole du Yin et du Yang, votre pelisse est une armure divine. Seigneur de la jungle, indomptable et rebelle, vous ignorez les sentiments tièdes et les demi-mesures, vous êtes du genre mercenaire, guérillero, maquisard, bref, un élément incontrôlé et incontrôlable. Inconstestablement vous êtes fort et puissant, mais d'un orgueil défiant toutes concurrences. Vos appétits de domination frémissent et germent dans votre cervelle, tels un venin dans un bouillon de sorcière. Vous n'acceptez et ne reconnaissez la supériorité que si c'est la vôtre. Dans ce domaine vous êtes d'une mauvaise foi surprenante.

Le Tigre.

Images, messages, oracles du Yi-King en rapport avec le TIGRE

TA TCHOUANG/LA PUISSANCE DU GRAND

En Haut Tchen – l'éveilleur
– le tonnerre

En Bas K'ien – le Créateur
– le ciel

Le créateur est fort
l'éveilleur excite le mouvement
unissant le mouvement à la force   donne « la puissance de
ce qui est grand ».
Persévérance car
l'intérieur effectue une ascension vigoureuse
parvenant au pouvoir, dépassant le milieu,
le danger menace si l'on se repose sur la force
qui peut dégénérer en violence.
Se demander à chaque instant ou est le bien,
demeurer intérieurement lié aux principes de justice
et de droit,
et l'on comprendra le sens véritable de Tout ce qui se
passe
dans le ciel et sur la terre.

KO/LA RÉVOLUTION, LA MUE

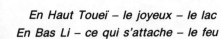

En Haut Toueï – le joyeux – le lac
En Bas Li – ce qui s'attache – le feu

Les forces se combattent comme le feu et l'eau
chacune cherchant à détruire l'autre
d'où Révolution
dans le lac est le feu...
Combat de la force lumineuse
et de la force obscure
Il faudra régler le calendrier
clarifier le temps

Pour le Tigre, une seule règle d'or, appliquer la température à sa démarche altière, à son rythme, alors seulement s'ouvriront les portes qui mènent vers la sagesse. Sinon, il sera éternellement condamné à être ce chasseur, mangeur d'hommes, victime de sa propre légende, maître de forces incontrôlées, dévoré par l'orgueil et l'instinct de domination, comète folle entraînant dans son sillage les hommes et les choses dans le chaos originel.

Tigre, vous avez le goût du risque, vous aimez aller de l'avant, sans trop vous soucier de l'intendance. Seigneur de la jungle, séducteur à la musculature puissante et au sourire féroce, vous avez un peu trop tendance à faire de la vie un terrain de chasse. Hélas, pour vous, les victimes se font de plus en plus rares. Par ailleurs sachez qu'il n'est pas toujours plaisant de jouer les proies dociles offertes à vos appétits de toutes sortes, en attente de l'assaut final.

Vous êtes Tigre, soyez-le jusqu'au bout des griffes. Partez à la conquête de votre propre jungle. Soyez le maître, blanc ou noir, pour vous pas de demi-teintes : ombre ou lumière, vertueux, sage, ou assassin perfide et sanguinaire. Il sera difficile de vous embrigader, vous avez horreur d'obéir, de vous conseiller, vous ne savez pas écouter. De plus, vous êtes doté d'un mauvais caractère, vous êtes partial, égocentrique, votre tolérance et votre ouverture d'esprit ne sont que de vagues impressions que vous vous plaisez à laisser poindre, pour mieux dévorer la proie béate.

Laissons donc la bête se repaître, découvrir les dangers et les pièges, essuyer les tempêtes, inutile de défricher le terrain à sa place, d'éviter les combats, notre Tigre n'est pas un bon gros chat, c'est un fauve. Toutefois, en amour, il peut être prêt à se sacrifier... Par ailleurs, sachez-le, et ne vous leurrez point, vous y laisserez des plumes. Il vaut mieux ne pas vendre la peau du Tigre avant de l'avoir tué.

Conte Zen

La morale du Tao

Un très célèbre voleur du nom de Koshi intéressait le sage Confucius; celui-ci en effet pensait pouvoir le convertir à sa morale.

Confucius se rendit donc dans la montagne où vivait retiré le hors-la-loi, et il entreprit de faire son éducation.

Koshi, le voleur, s'ennuya vite des paroles du philosophe :

« Vous êtes plus puéril qu'un enfant, s'écria-t-il soudain, votre morale est bonne pour vous, elle n'est pas bonne pour moi! Enseignez-moi donc l'autre aspect de la morale, si vous voulez que je comprenne! Franchement je ne croyais pas que les grands sages étaient aussi bêtement naïfs! »

Confucius dut rebrousser chemin. En guise d'éducation, la leçon avait été grande, pour Confucius!

Notre Tigre est souvent proche de la morale du Tao...

Côté cœur

Le Tigre, loyal et aventureux, aime vivre intensément : les amours de coin du feu ne sont pas son genre, et il aura vite fait de jeter aux orties les partenaires incapables de suivre son rythme. Bien qu'hyper-indépendant, il supportera toujours mieux une épouvantable crise de jalousie, avec revolver, bazookas et cyanure en prime, qu'une crise de larmes, assortie de chantage au suicide, et de « je ne peux pas vivre sans toi ». Il vit chaque passion avec la même intensité que la précédente, mais change dès qu'il s'ennuie, ou dès que l'histoire devient trop quotidienne. Attention : le Tigre n'est fidèle qu'à ceux qui lui échappent. Même les Tigresses embourgeoisées rêvent de se faire enlever... Par un bel indifférent.

Le Tigre fera bien de se lier au Cheval fougueux, au Dragon

*Laissons donc la bête découvrir
les dangers et les pièges.*

QUELQUES TIGRES CÉLÈBRES

Citons, parmi les personnalités qui ont marqué l'histoire politique et militaire :

Clovis, Mahomet, Marie Stuart, Mazarin, Louis XIV, Robespierre, Nelson, Masséna, Davout, Liautey, De Gaulle, Leclerc, Eisenhower.

Dans le monde des arts, des lettres et du spectacle :

Mme de Sévigné, Beethoven, Paganini, Massenet, Mallarmé, Mistral, Karl Marx, Rimbaud, Tristan Bernard, Emily Brontë, Isadora Duncan, Pissaro, Nicolas de Staël, Man Ray, Kandinsky, Goya, Marilyn Monroë, Jerry Lewis, Louis de Funès, Claude François, Miou-Miou.

Autres exemples :

Marco Polo, Agnès Sorel, Lola Montès, André Citroën, Maître Floriot.

---

brillant, qui sauront partager sa vie sans crainte et sans lassitude : ils se donneront mutuellement du courage.

Il séduira souvent le Rat romantique et le Buffle sédentaire, mais les laissera fréquemment seuls... Tout dépendra de la capacité du Rat et du Buffle à supporter de « rester en rade » à dates régulières.

La Chèvre ennuiera le Tigre, bien qu'il puisse l'aider à développer ses talents. Mais elle risque fort d'être dévorée par lui à sa première sieste...

Le Serpent est trop paisible pour s'entendre avec le Tigre sur le plan affectif; mais, professionnellement, ils collaboreront d'une façon qui tournera à leur avantage respectif.

Le Chien idéaliste appréciera la loyauté du Tigre et le soutiendra dans ses entreprises, tout en lui ramenant les pattes sur terre : ils auront l'un sur l'autre une excellente influence.

Le Tigre exploitera le Sanglier, mais cela stabilisera sa vie.

Mais surtout, qu'il évite le Singe et le Lièvre, qu'il croira posséder, et qui le feront tourner comme un toton...

LE LIÈVRE

29-1-1903 au 16-2-1904
14-2-1915 au 3-2-1916
2-2-1927 au 23-1-1928
19-2-1939 au 8-2-1940
6-2-1951 au 27-1-1952
25-1-1963 au 13-2-1964
11-2-1975 au 30-1-1976

Vos points de repère

L'hésitant Lièvre dit : est-ce un bon parti?...

Entame une cour : tout d'abord réservée, enjôleuse et prudente, sans trop s'engager, puis, d'un bond, passera aux actes, sans se soucier de vos réactions.

Son désir : prêt à tout, mais avec confort, sans prendre de risque, aime briller.

Vous trompe : comme il respire; volage, il adore, et il oublie aussi vite, par contre ne se gênera pas pour vous soupçonner, vous espionner, et ceci gratuitement; par ailleurs il se gardera de vous affronter en cas de conflit.

Il adore : le faste, les mondanités, les coups de foudre, le confort.

Ne supporte pas : de prendre des responsabilités, l'affrontement, les mises au point, l'engagement de sa personne.

Décide : de rester sur ses gardes, laisser parler les autres.

Gros défauts : ombrageux, pédant, égoïste.

Principal atout : prudence, bonne mémoire et discrétion.

Côté détente : prêt à tout, à condition qu'il n'en décide pas. Les réceptions mondaines et les « cinq à sept ».

Côté finances : horriblement dépensier, attention à ses vieux jours qui risquent d'être moroses.

Symbole : Vénus.

Couleur : blanc.

Plante : le figuier.

Fleur : reine des prés.

Métiers Lièvre : politique, théologie, philosophie, fonctionnaire; lorsqu'ils sont en pointe, n'acceptent pas la contradiction, ou vivent douloureusement leur position d'exception.

Le Lièvre sera plus heureux s'il naît en été.

Vos traits psychologiques et symboliques

Votre tendance est YIN.
Vous vous tenez à l'OUEST.
Vous appartenez à la pleine lune de la mi-automne.

« J'ai vu dans la lune
trois petits lapins
qui mangeaient des prunes
en buvant du vin
tout plein. »

Vous êtes LIÈVRE-(CHAT) – Vous appartenez à la pleine lune, vous êtes lunaire, lunatique... Le Lièvre est un vertueux, un prudent. Épris d'harmonie. Amoureux du confort moral et physique, vous êtes un calme, un discret, un réservé; toutefois, comme le lièvre inquiet, vous sautez de droite à gauche, à l'écoute d'un danger éventuel. Au nom de votre tranquillité, vous soutiendrez le faible, tout en vous ralliant au fort.

Mesuré, hésitant, vous avez horreur de prendre des risques : cela pourra vous mener à la perte de belles occasions. Ombrageux, soupçonneux et peu équitable, sous votre masque de douceur et votre apparence d'équilibre, vous cachez un certain égoïsme, une peur bleue de l'engagement. Par ailleurs, vous aimez briller en société – quelquefois vous allez trop loin, et vous paraissez un peu pédant. Vous êtes un mondain, vous avez le goût du faste, du luxe et vous ne reculez point devant les dépenses pour entretenir votre image de marque.

En amour, vous tenez à votre sécurité mais vous avez tendance à aller de droite et de gauche, papillonner, briller. Les plaisirs sensuels sont nécessaires à votre équilibre mais leur excès pourrait lézarder le bel édifice de votre tranquillité.

Heureusement, votre goût de la conciliation, et votre tact, vous sauvent des situations épineuses – que d'ailleurs vous supportez fort mal, ainsi que tous les bouleversements, conflits et changements imprévus.

Lièvre d'automne bondissant dans la clairière par une nuit de pleine lune, êtes-vous l'amant de Vénus, le compagnon d'Hécate, préparez-vous la drogue d'immortalité à l'ombre du figuier, mêlez-vous votre fiel à la fonte de l'acier, ou mangez-vous des prunes en buvant du vin tout plein?

Êtes-vous le Grand Lapin, divinité agraire, démiurge, sauveur de la déesse-lune, vous jetez-vous dans le brasier, lièvre-Bodhisattva, ou offrez-vous votre peau à Osiris, ce grand initié?

Tout en vous est ambivalence, resterez-vous le prudent et le vertueux, sortant silencieusement de son terrier à petits pas hésitants, ou bien bondirez-vous à travers prairies et clairières, maître de votre gauche et de votre droite? Certes vous serez infidèle, mais lorsque l'on est l'amant de Vénus, on ne peut s'attendre à un brevet de sagesse, côté amours. Lièvre de la puberté, à cheval entre deux mondes, il vous faudra tout de même penser à vos vieux jours si vous ne voulez terminer votre carrière comme notre amie la cigale.

Lorsque la lune sera debout,
Lièvre,
qui se lèvera en vous
du lapin vertueux
ou du Grand Manitou?

Conte Zen

Épaule droite – Épaule gauche

Un jour, deux hommes se présentèrent ensemble pour demander la main d'une jeune fille. Ils désiraient réellement le mariage. Les parents de la jeune fille lui demandèrent lequel des deux elle désirait épouser :
« Si tu veux l'homme qui vient de l'Est, découvre ton épaule gauche. Si tu aimes celui qui vient de l'Ouest, découvre ton épaule droite. »
La jeune fille découvrit les deux épaules.
Immédiatement les parents firent opposition. On ne peut pas avoir deux maris! Il fallait choisir.
« Je ne peux pas me décider », répondit la jeune fille.
La raison en était simple : le jeune homme de l'Est était très riche mais laid, celui de l'Ouest, était très beau mais pauvre... Et cette jeune fille voulait vivre dans la maison de l'homme riche et dormir dans le lit du beau jeune homme.

Le Lièvre à souvent tendance à découvrir ses deux épaules.

Côté cœur

Le Lièvre aime sa tranquillité, apprécie l'harmonie et supporte très mal les situations extrêmes, les conflits et la violence. Autant il est paisible, assis à l'entrée de son terrier, autant il perd son

Images, messages, oracles du Yi-King
en rapport avec le LIÈVRE
WOU WANG/L'INNOCENCE (l'inattendu)

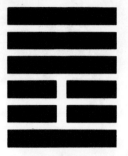

En Haut K'ien – le créateur – le ciel
En Bas Tchen – l'éveilleur – le tonnerre

Le mouvement suit la loi du ciel,
L'homme est innocent
C'est l'état pur et naturel
L'homme a reçu du ciel la nature originelle bonne
En adhérant à ce principe divin
il atteint pureté et innocence
Sous le ciel circule le tonnerre...

YI/L'AUGMENTATION

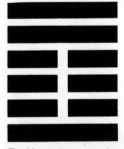

En Haut Souen – le doux – le vent
En Bas Tchen – l'éveilleur – le tonnerre

L'esprit seul est en mesure d'aider le monde
En observant la manière dont le tonnerre et le vent s'augmentent et se renforcent mutuellement,
on apprend le moyen de s'augmenter et de s'améliorer personnellement...

sang-froid et court dans tous les sens, au moindre écho d'un coup de fusil.

Il aura donc intérêt à se méfier des signes hyper-actifs, aventureux et provocants que sont le Tigre, le Dragon et le Cheval. Bien sûr, il leur échappera toujours, et même, les ridiculisera souvent... Mais il y perdra sa santé, ou bien attrapera une maladie de cœur, à force de regagner son trou, à bout de souffle... De même, le Rat passionné et agressif attendra de lui une passion qu'il ne saurait lui apporter : n'oublions pas que le Lièvre est volage, même s'il refuse d'assumer les complications que cela engendre...

Tout ira bien avec la Chèvre, qui n'est pas exclusive et accepte à peu près n'importe quel genre de vie, du moment qu'on s'occupe d'elle, et qu'on lui laisse un minimum de liberté. Le Chien fidèle et rigoureux, le Sanglier honnête et débonnaire sauront apprécier les qualités du Lièvre, et n'en demanderont pas plus. Ensemble, ils construiront des bunkers antiatomiques, et monteront la garde, chacun leur tour, un drapeau blanc à la main, bien sûr, pour préserver la paix. Il trouvera aussi une certaine harmonie avec le Buffle travailleur et le Singe, qui l'amusera, et avec lequel il aura de longues discussions mi-intellectuelles, mi-mondaines. Il s'intéressera aussi au Serpent, mais celui-ci, trop profond pour lui, ne lui sera que d'une aide épisodique et amicale – en l'aidant à devenir plus philosophe.

QUELQUES LIÈVRES CÉLÈBRES

Citons, parmi les personnalités qui ont marqué l'histoire politique et militaire :
Ann Boleyn, Catherine de Médicis, la Grande Mademoiselle, Bolivar, Staline, Rommel, Éva Peron, Castro, Bourguiba.
Dans le monde des arts, des lettres et du spectacle :
Stendhal, Dali, Max Ernst, Courbet, Picabia, Klee, Simenon, Offenbach, Agatha Christie, Toscanini, Arthur Miller, Orson Welles, Edith Piaf.
Autres exemples :
Confucius, Luther, Bossuet, Fénelon, Saint François de Sales, l'impératrice Marie-Louise, Charcot, Bichat, Einstein.

LE DRAGON

16-2-1904 au   4-2-1905
3-2-1916 au 23-1-1917
23-1-1928 au 10-2-1929
8-2-1940 au 27-1-1941
27-1-1952 au 14-2-1953
13-2-1964 au   2-2-1965
31-1-1976 au 17-2-1977

Vos points de repère

L'impérial Dragon dit : on m'adule, c'est gentil...

Entame une cour : avec désinvolture, détachement, sûr de lui, de vos sentiments, c'est un gagnant, et sa confiance en lui est imperturbable, même devant l'échec...

Son désir : être admiré, adulé, sans se sentir engagé, aime par-dessus tout qu'on l'écoute et tire profit de ses conseils.

Vous trompe : lorsqu'il en a le temps, pour achever de vous convaincre, mais sans jamais se laisser tourner la tête.

Il adore : lutter, prendre la vie du bon côté, mépriser l'opinion des autres, se prouver qu'il est doué, qu'on le prenne en considération.

Ne supporte pas : d'être obligé de patienter, prendre son temps, se remettre en cause, se sentir coincé, les larmes aux yeux et les grands sentiments.

Décide : que vous ne pouvez rien entamer sans son avis, qu'il n'a que faire des ragots et des principes.

Gros défauts : manque de patience et de tolérance.

Principal atout : la chance!

Côté détente : passionné de science-fiction, d'extra-terrestres, le Dragon a souvent le nez dans les étoiles; il ne tient pas en place, estime que si vous l'aimez, il faudra le suivre, quitte à attraper une bronchite en admirant la Grande Ourse par une nuit glacée.

Côté finances : attention aux erreurs de jugement, trop carré, ne laissez pas les autres arrondir les angles, ne vous fiez pas trop à votre étoile, pourtant c'est vrai, vous avez de la chance...

Symbole : le serpent à plumes, ou l'œuf.

Couleurs : noir et jaune.

Plantes : sauge et mandragore.

Fleur : lotus.

Métiers Dragon : vulcanologue, météorologiste, artiste brillant, bonze, ou mystique, de toute manière célèbre.

Il est néfaste pour le Dragon de naître un jour d'orage.

Vos traits psychologiques et symboliques

Votre tendance est YANG.
Vous vous tenez à l'EST.
Vous appartenez à la pleine lune de la mi-printemps.

Vous êtes Dragon. Lutteur plein de vie et de fougue vous êtes né sous le signe de la chance, le signe de l'Empereur, c'est pourquoi rien ne vous arrête, pour vous la vie se gagne de front, tête baissée. Vous ne suivez que votre jugement, qui s'avère être le bon, bien souvent, il faut le reconnaître. Vous savez devenir maître de la situation, homme providentiel, homme de recours. Toutefois, attention, vous avez trop tendance à croire en votre bonne étoile.

Entier, intraitable, vous ne savez pas arrondir les angles, vous rebroussez vos écailles, crachez du feu, la terre tremble sous votre intelligence et vos dons, et il faut être à votre écoute, suivre vos conseils, sinon vous déclenchez tempête et ouragan, foudre et averse.

Vous ignorez la patience et la tolérance, les pieds sur un volcan, la tête dans les nuages vous n'avez que faire d'autres avis et opinions que les vôtres. Toujours pressé, vous risquez de commettre des erreurs de jugement qui pourraient nuire à votre succès. L'amour ne vous tournera pas la tête et pourtant, on ne vous aime pas avec tendresse et douceur, on vous aime avec rage et à la folie... Hélas, vous êtes ailleurs, vous avez d'autres chats à fouetter. Attiré par d'autres sphères, notre Dragon est un dur, gardien imperturbable, maître du séisme « fou » des sociétés médiévales.

Dragon caché, dragon planant, bondissant et volant, laissez-nous croire que votre compagnie et votre univers ne relèvent pas de l'utopie.

Dragon, il faut vous assumer, même si l'on vous redoute, les « fous » inquiètent mais fascinent. Protecteur des cathédrales, gardien des temples, représentation de l'Empereur, symbole de l'hermétisme, image triomphante, force cachée et contenue, à vous de jouer. En place pour le grand duel, vous avez le choix des armes, votre terrain peut être céleste, souterrain ou aquatique, qu'importe, vous en ferez votre domaine; toutefois, prince ou sage, condescendez à abaisser votre paupière d'or sur vos humbles serviteurs et servantes. Même s'ils ne peuplent pas votre Voie Lactée, et se tiennent, à vos yeux, frileusement serrés dans les petits domaines du commun – ils existent!

Conte Zen

Grosse tête

Chaque matin, un homme se contemplait dans son miroir. Un jour, se regardant dans le miroir posé à l'envers, il n'aperçut plus son visage; il pensa alors qu'il avait perdu tête et cou, et, paniqué, il se mit à les chercher.

Un ami lui dit : « Pourquoi cherches-tu ta tête? Elle est tellement grosse que je ne vois qu'elle! » Alors l'homme se mit à penser que sa

Images, messages, oracles du Yi-King en rapport avec le DRAGON

TCHOUEN/LA DIFFICULTÉ INITIALE

En Haut K'ien – le créateur –
le ciel
En Bas Ken – l'immobilisation –
la montagne

Herbe rencontrant un obstacle dans son effort pour sortir de la terre.
L'éveilleur dans son mouvement pousse vers le haut c'est le tonnerre.
L'insondable, le dangereux dans son mouvement tire
vers le bas
c'est la pluie
le chaos
c'est une première naissance
dans le chaos de la difficulté initiale
l'ordre est déjà présent...
Pour se reconnaître dans l'infini,
Il faut distinguer et unir.

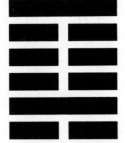

MONG/LA FOLIE JUVÉNILE

En Haut Ken – l'immobilisation –
la montagne
En Bas K'an – l'Insondable – l'eau

La source jaillit au pied de la montagne
ne sachant d'abord où aller
puis par son écoulement incessant, elle remplit les endroits profonds
avec persévérance
l'eau comble les lacunes, sans relâche elle poursuit sa marche en avant...

tête était plus grosse que celle des autres. Il en conçut beaucoup de fierté, et se remit à chercher sa tête.

Histoire très intéressante. Perdre sa tête est la perte des illusions. Mais la fierté de la grosse tête, c'est l'obtention d'une méditation égoïste et stupide.

A méditer pour notre Dragon, souvent fier de sa grosse tête...

Côté cœur

La chose est particulière : en effet, le problème n'est pas tellement de s'entendre avec le Dragon, mais de lui rendre la vie suffisamment intéressante pour qu'il reste en place. En effet, il n'est capable de fidélité qu'avec ceux qu'il admire.

Son autonomie affective, son dédain apparent des amplifications émotionnelles font souvent souffrir les signes plus sensibles, qui sont pourtant séduits, voire embrasés par l'aura de lumière, de feu et de passion qu'il dégage à l'état latent. Mettez un Dragon chez vous, l'hiver... Vous ferez des économies d'énergie!

Le Dragon sera heureux avec le Serpent et le Coq, qui lui feront honneur par leur élégance, leur charme – l'un dans le genre

Pages suivantes :
*Dragon, Serpent, Cheval :
ensemble, ils pourront faire de grandes choses...*

discrètement conseilleur, l'autre dans le rôle de faire-valoir ravi. Aucun des deux ne se fatiguera à essayer de rivaliser avec lui sur le plan professionnel : Coqs et Serpents aiment le farniente, et ils laisseront le Dragon réussir et travailler pour eux. Tout le monde sera content... Le Dragon permettra, bon prince, au Rat de l'adorer et de souffrir pour lui. Il aimera épisodiquement le Singe, pour son intelligence et sa fantaisie.

Le Tigre et le Cheval seront souvent ses rivaux, mais s'ils parviennent à surmonter leurs différences, ils pourront faire de belles choses (impossibles de préférence) ensemble. Mais le Dragon dépassera le Tigre et le Cheval, qui n'ont pas d'ailes, eux... Et ils lui en voudront, surtout le Cheval.

C'est avec le Chien qu'il aura des problèmes : celui-ci le heurtera par son cynisme et ses critiques acerbes, sans se laisser impressionner. Ils s'estimeront pour leurs différences, mais se supporteront mal...

Le Lièvre et le Sanglier agaceront le Dragon : l'un est trop prudent, l'autre trop naïf.

QUELQUES DRAGONS CÉLÈBRES

Citons, parmi les personnalités qui ont marqué l'histoire politique et militaire :

Jeanne d'Arc, Danton, Napoléon III, Mac-Mahon, Jules Ferry, Zapata, Kemal Ataturk, Pétain, Franco, Tito, Ben Bella, Che Guevara, François Mitterrand, Pierre Mauroy.

Dans le monde des arts, des lettres et du spectacle :

Charles Perrault, Claudel, Daumier, L. David, Rimski-Korsakov, G. B. Shaw, Verlaine, Pearl Buck, Stockhausen, Francis Jammes, Graham Greene, Gorki, Anatole France, Maurice Béjart, Marivaux, Darius Milhaud, Manet, Apollinaire, Corot, Gérard de Nerval, Nietszche, Kant, Freud, Dali, Alexandra David-Neel, la Malibran, Sarah Bernhardt, Gabin, Vadim, Gainsbourg, Gary Grant, Pierre Etaix.

Autres exemples :

Madame de Montespan, Bernadette Soubirous, Mandrin et le clown Grock.

LE SERPENT

4-2-1905 au 25-1-1906
23-1-1917 au 11-2-1918
10-2-1929 au 30-1-1930
27-1-1941 au 15-2-1942
14-2-1953 au 3-2-1954
21-2-1965 au 21-1-1966
18-2-1977 au 6-2-1978

Vos points de repère

Le sinueux Serpent dit : « Il me faut... »
Entame une cour : en faisant des détours et des contours.
En amour : c'est un vif, un sensuel, tendance à la perversité.
Son désir : être aimé, admiré, faire souffrir. A horreur qu'on lui résiste.
Vous trompe : pour le plaisir de vous tromper, mais ne l'admettra pas de votre part.
Il adore : découvrir des objets rares qu'il sera seul à posséder.
Ne supporte pas : de se faire avoir, de se faire découvrir.
Décide : d'imposer son goût et ses idées à tout le monde.
Gros défaut : jalousie gratuite, suspicion perpétuelle.
Principal atout : sa droiture et sa volonté.
Côté détente : adore la campagne, le bricolage, et changer les objets de place.
Côté finance : ne sait pas faire d'économie, préfère vivre au jour le jour. Se lance parfois dans des entreprises hasardeuses.
Symbole : le cercle – l'œuf.
Couleurs : rouge et vert.

Plantes : de rocaille, fougère.
Fleurs : bruyère, chardon.

*Le Serpent sera heureux s'il naît par un jour de grande chaleur :
né par une nuit d'hiver et de tempête il sera en danger toute sa
vie.*

Vos traits psychologiques et symboliques

*Votre tendance est YANG.
Vous vous tenez au SUD.
Vous appartenez au solstice d'été.*

Vous êtes Serpent. Vous êtes un sage, un philosophe, un
organisateur. De haute moralité, vous poussez parfois cette qualité
jusqu'à l'excès, ce qui risque de vous faire passer pour un peu
Tartuffe. Vous êtes secret, renfermé. Chez vous, la pensée est

profonde, intuitive; mais hélas, votre grand défaut est votre manque d'écoute (ou d'indulgence) vis-à-vis des autres. Serpent vous ne supportez ni les conseils ni l'échec, vous aimez jouer, mais vous avez horreur de perdre. Entêté, obstiné sous votre apparence de grand calme, vous ruminez quelquefois en votre for intérieur un mélange acide de jalousie et de méchanceté. Le Serpent est très sociable, il sait contourner les obstacles, s'accommoder en diverses circonstances des personnes rencontrées et les comprendre. Il entretiendra avec elles de bonnes relations. Notre Serpent est à la fois vif et déterminé; emporté, il aime affronter, se dresser, prêt à bondir, prêt à l'attaque lorsqu'il se sent acculé ou motivé. – Mais l'action pure n'est pas son genre : il serait plutôt partisan du moindre effort, et même un peu paresseux.

Côté amour, c'est un exclusif, un jaloux. Par contre, on ne lui décernera pas pour autant un brevet de fidélité. L'argent et le Serpent vont souvent de pair : la chance lui sourit, le courage et le bon goût l'accompagnent. Dans sa jeunesse il rencontrera des difficultés; dans son âge mûr, s'il sait surmonter les agressions sentimentales, les transcender, alors il goûtera une seconde vie heureuse et épanouie, la chance lui ouvrira ses portes, et sa vieillesse sera douce et bien vécue.

Serpent sinueux, Serpent des méandres, prince des détours, vous êtes fascinant : alors, ne vous croyez pas toujours obligé de nous hypnotiser pour nous séduire. Serpent à plumes ou à sonnettes, nous sommes toujours sous le charme.

Conte Zen

Le savoir-agir

Une nuit, un voleur pénétra dans une maison. Le fils de la maison s'éveilla; furieux il se jeta sur le voleur qui s'échappa. Mais il put le rattraper, et ils se mirent à se battre. Le voleur avait le dessus et menaçait le garçon avec son couteau. A ce moment, le père survint, armé d'un gros gourdin. Il frappa le voleur qui était au-dessus de son fils, mais il le frappa si fort qu'il tua son fils en

Le Serpent peut s'entendre
à peu près avec tout le monde.

Images, messages, oracles du Yi-King en rapport avec le SERPENT

KOU/LE TRAVAIL SUR CE QUI EST CORROMPU

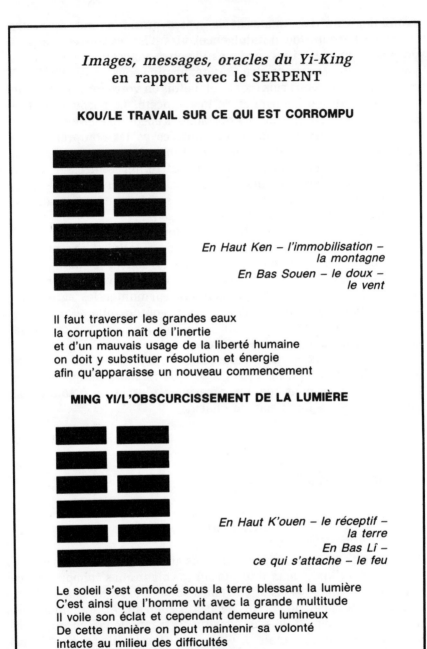

En Haut Ken – l'immobilisation –
la montagne
En Bas Souen – le doux –
le vent

Il faut traverser les grandes eaux
la corruption naît de l'inertie
et d'un mauvais usage de la liberté humaine
on doit y substituer résolution et énergie
afin qu'apparaisse un nouveau commencement

MING YI/L'OBSCURCISSEMENT DE LA LUMIÈRE

En Haut K'ouen – le réceptif –
la terre
En Bas Lî –
ce qui s'attache – le feu

Le soleil s'est enfoncé sous la terre blessant la lumière
C'est ainsi que l'homme vit avec la grande multitude
Il voile son éclat et cependant demeure lumineux
De cette manière on peut maintenir sa volonté
intacte au milieu des difficultés
Il faut parfois cacher sa lumière
afin de pouvoir faire triompher sa volonté...

même temps. Les gens formèrent un attroupement autour d'eux. Les gardes vinrent et constatèrent que rien n'avait été volé.

« Tragi-comédie jouée par trois fous », pensèrent-ils.

Moralité : Avant d'attaquer, notre Serpent retournera sept fois son venin entre ses crocs; inutile de vous dresser : contournez l'obstacle. Parfois la fuite est plus sage.

Côté cœur

Adaptable, psychologue et intuitif, le Serpent peut s'entendre avec à peu près tout le monde, en faisant un petit effort. C'est avec le Buffle qu'il se sentira en sécurité matérielle (et cela compte, pour lui...) à condition que le Buffle ne se laisse pas envahir. Car attention : le Serpent, tant qu'il n'est pas dominé, s'enroule autour de ses partenaires jusqu'à les étouffer, pour partir aussitôt courir le guilledou.

Bien motivé, en revanche, il est de bonne compagnie et de conversation agréable...

Le Serpent apprécie le brio chez ses partenaires, lorsque ceux-ci ne l'écrasent pas. Il aime souvent le Dragon enthousiaste, et laisse le Coq chanter en paix, pour ensuite avoir avec lui d'interminables discussions philosophiques, littéraires...

Il peut supporter avec beaucoup de calme et de compréhension l'agressivité du Rat, comme la légèreté de la Chèvre : dans les deux cas, le dialogue aplanira les différences, et tous en tireront quelque chose. Mais le Singe, bien que très intelligent, semblera trop superficiel au Serpent profond. Il fera bien de ne pas le fréquenter de trop près car le Singe serait plus fort que lui, tout comme le Tigre, qui le détruirait, en lui infligeant un rythme de vie déséquilibrant.

Le Serpent s'entend bien avec le Chien, qui lui laisse toute liberté; mais à la longue il risque de s'ennuyer un peu, car le Chien ne saurait le dominer. De même, le Sanglier se fera toujours berner par le Serpent habile. Qu'il fasse attention avant d'aller se fourrer dans ses anneaux...

Pour finir, signalons qu'il ne faut jamais mettre deux Serpents ensemble en permanence : ils s'étoufferaient mutuellement.

QUELQUES SERPENTS CÉLÈBRES

Citons, parmi les personnalités qui ont marqué l'histoire politique et militaire :
Calvin, Madame Tallien, Vidocq, Lincoln, Gladstone, Mao Tsé-Toung et Madame Mao, Gandhi, John Kennedy, Martin Luther King, Fayçal d'Arabie, Hassan II, Jean XXIII.
Dans le monde des arts, des lettres et du spectacle :
Vigny, Tennyson, Teilhard de Chardin, Darwin, Diderot, Gide, Flaubert, Gogol, Goethe, Heine, Nobel, Baudelaire, Edgar Poe, Dostoïevsky, Sartre, Fauré, Mendelssohn, Bartok, Borodine, Matisse, Picasso, Jacques Brel, Harold Lloyd, Henry Fonda, Pierre Brasseur, Mae West, Greta Garbo, Julie Christie, Régine.
Autres exemples :
Surcouf, Baden-Powell, Paul Getty, Alain Gerbault, Grace de Monaco, Jacqueline Onassis, ainsi que Copernic et Saint Vincent de Paul.

LE CHEVAL

25-1-1906 au 13-2-1907 (Cheval de Feu)
11-2-1918 au 1-2-1919
30-1-1930 au 17-2-1931
15-2-1942 au 5-2-1943
3-2-1954 au 25-1-1955
21-1-1966 au 9-2-1967 (Cheval de Feu)
7-2-1978 au 27-1-1979

Vos points de repère

L'ardent Cheval dit : oh! symbole de ma passion... Perle de mes nuits... (Enfin, tout ce qui lui passe par la tête.)

Entame une cour : raffinée, méthodique, prestigieuse, puis impatiente : piétinant, piaffant, ruant, une sorte de numéro de cirque parfaitement au point.

Son désir : être à la pointe, en première ligne, en tête; mener les foules, entendre les bravos et les applaudissements, du genre : « L'ai-je bien descendu? »

Vous trompe : par faiblesse, pour le spectacle, le souffle et la souplesse du muscle, quelquefois plus par vantardise...

Il adore : les voyages, les changements, le monde et la vie facile.

Ne supporte pas : de se sentir bridé, le manque d'ambition, et perdre.

Décide : qu'il est né pour mener les foules, qu'il a la trempe d'un tribun, que son opportunisme lui réussit.

Gros défauts : vantard et opportuniste. Soupe-au-lait.

Principal atout : loyauté et élégance.

Côté détente : c'est un sportif, il aime la compétition, les voyages, même en stop, il a du mal à tenir en place; à déconseiller aux pantouflards.

Côté finances : chance, grâce à son sens de l'opportunité, se liant facilement, très sociable; s'il domine ses impulsions et ses passions, son caractère ambitieux le mènera aux succès.

Symbole : le vent.

Couleurs : feu.

Plantes : palmier et oranger.

Fleurs : aubépine, pivoine et capucine.

Métiers Cheval : cow-boy, travailleur populaire, peintre, – cheval de courses ou de manège...

Il est peu favorable pour un Cheval de naître en hiver.

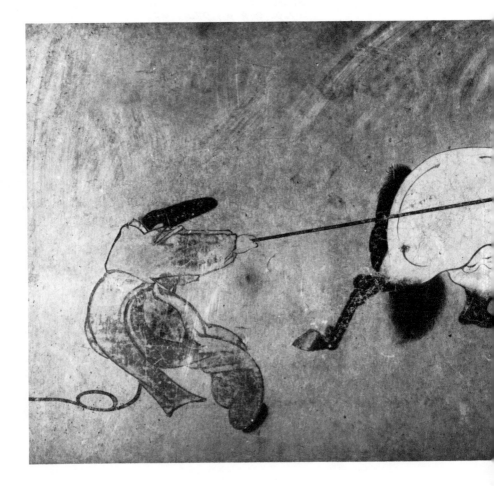

Vos traits psychologiques et symboliques

Votre tendance est YANG.
Vous vous tenez au SUD.
Vous appartenez au solstice d'été.

Cheval élégant et ardent, raffiné, vif et rapide, Cheval à la mémoire secrète; animal impatient, piétinant furieusement, en

Le Cheval.

mouvement perpétuel, continuel changement et vagabondage, vous aimez être le premier.

Toujours en tête, à la pointe, Cheval plus brillant qu'intelligent, vous savez être opportuniste, cela pourrait même vous attirer des ennuis, vous créant des ennemis jaloux de votre éloquence, de votre savoir-faire. Vous vous liez facilement, mais ne savez guère écouter les autres, vous avez le génie d'accéder à la réussite en trouvant les appuis nécessaires, vous êtes maître en l'art de la récupération des idées et des bons mots. Toutefois vous êtes loyal, vous avez le sens de l'honneur, du prestige; véritable tribun, vous vous sentez parfois l'âme d'un meneur de foule; hélas, vous manquez de jugement, et vous parlez un peu trop facilement, il vous est difficile de conserver un secret. Un peu vantard, vous irritez parfois.

En mettant un frein, bridant vos passions et impulsions, vous pourrez mener à bien votre ambition, et vous deviendrez cheval glorieux, cheval de lumière.

En amour, vous semblez prêt à tous les sacrifices, à un grand don de votre personne, et vous êtes sincère, mais il faut bien l'avouer, vous êtes un faible, ce qui ne vous empêche pas de cultiver un monstrueux égoïsme...

Cheval piaffant, sous les acclamations et les honneurs, Cheval loyal et passionné, il y a en vous du docteur Jekyll et du mister Hyde.

Le Cheval de Feu

Années du Cheval de Feu : 1846-1906-1966-2026
L'année du Cheval de Feu revient tous les 60 ans.

Il est difficile de dire que l'année du Cheval de Feu sera faste ou néfaste. La seule chose que l'on pourrait tenter d'expliquer est celle-ci. Le caractère de l'animal restera le même, mais ses tendances seront poussées à l'extrême pour le bien et pour le mal.

Le Cheval de Feu sera amené – s'il sait l'exploiter – à avoir une vie exceptionnelle! Il sera souvent plus passionné, plus fougueux, plus doué. Mais cet être d'exception sera « dangereux », selon la tradition populaire, principalement pour sa famille. En effet, il n'aura pratiquement aucune attache familiale ou il s'empressera de la rompre.

Images, messages, oracles du Yi-King
en rapport avec le CHEVAL

TA TCH'OU/LE POUVOIR D'APPRIVOISEMENT DU GRAND

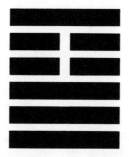

En Haut Ken – l'Immobilisation – la montagne
En Bas Kien – le Créateur – le Ciel

« Tenir ferme » « maintenir ensemble ».

Ce n'est qu'en se renouvelant chaque jour que l'on demeure au sommet de la puissance.

Le Cheval n'appartient-il pas à la terre comme le Dragon au ciel?

TSIN/LE PROGRÈS

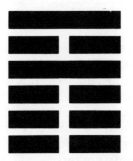

En Haut Li – ce qui s'attache – le feu
En Bas K'ouen – le réceptif – la terre

Le soleil s'élève au-dessus de la terre

Le puissant prince est gratifié de chevaux en grand nombre.

Impulsion et clarté intérieure.

Conte Zen

Polir la tuile

Baso était en zazen (méditation) quand son maître lui demanda :
« Que fais-tu?
— Je fais zazen.
— Quelle idée! pourquoi fais-tu zazen?
— Je veux devenir Bouddha. »
Le maître prit alors une tuile d'un toit et se mit à la polir.
Alors Baso demanda :
« Maître, quelle est votre idée? Que faites-vous? Pourquoi polissez-vous cette tuile?
— Je veux en faire un miroir!
— Mais... vous n'y arriverez jamais, Maître!
— Et comment est-il possible de devenir Bouddha en pratiquant zazen? » rétorqua le maître.

Notre Cheval a souvent tendance à polir les tuiles...

Côté cœur.

Le Cheval passionné aime la conquête, sait parler d'amour mais se lasse vite des déclarations, et considère ses proches, au bout d'un laps de temps plus ou moins long, comme des meubles. Que l'un des meubles bouge, et le voilà désorienté... De même, il est capable, par à-coups, d'accès de passion intenses qui le laissent en petits morceaux, remué de fond en comble... Cette alternance d'amour fou et d'égoïsme n'est pas toujours facile à comprendre de l'extérieur. Le Rat trop romantique, le Buffle individualiste et indépendant s'y casseront les dents ou le cœur. Les autres Chevaux se battront avec lui.

Le Cheval s'entendra avec le Tigre et le Chien, car il respectera leur loyauté, leur courage face à l'adversité. Même les piques du Chien n'entameront pas sa tranquille confiance en sa valeur

Cheval de Feu :
capable de tout.

profonde – à moins qu'il n'en fasse son profit, car il en est capable.

La Chèvre est un bon choix pour le Cheval. Il la dynamise et lui laisse suffisamment d'indépendance. De son côté, la Chèvre, souvent soumise, n'empiétera pas sur la liberté du Cheval. Ils s'amuseront ensemble et feront beaucoup d'expériences intéressantes.

Le Cheval devra éviter le Singe, qui, à force d'entourloupettes, le rendrait fou furieux. Le Cheval n'est pas assez rusé pour tenir tête au Singe. En revanche, il réduira en esclavage le Sanglier qui perdra un temps fou à se demander s'il doit ou non lui faire confiance...

Le Cheval s'entendra assez bien avec le Lièvre si celui-ci décide de le suivre... Mais ils se comprendront mal, l'un étant trop passionné, l'autre trop sceptique. Quant au Serpent, il supportera le Cheval et considérera ses galops avec indulgence... Jusqu'au jour où il en aura assez.

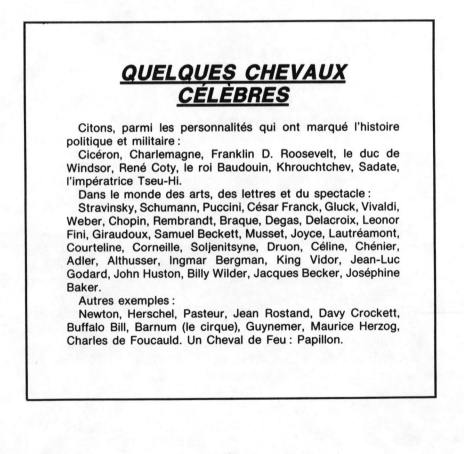

QUELQUES CHEVAUX CÉLÈBRES

Citons, parmi les personnalités qui ont marqué l'histoire politique et militaire :

Cicéron, Charlemagne, Franklin D. Roosevelt, le duc de Windsor, René Coty, le roi Baudouin, Khrouchtchev, Sadate, l'impératrice Tseu-Hi.

Dans le monde des arts, des lettres et du spectacle :

Stravinsky, Schumann, Puccini, César Franck, Gluck, Vivaldi, Weber, Chopin, Rembrandt, Braque, Degas, Delacroix, Leonor Fini, Giraudoux, Samuel Beckett, Musset, Joyce, Lautréamont, Courteline, Corneille, Soljenitsyne, Druon, Céline, Chénier, Adler, Althusser, Ingmar Bergman, King Vidor, Jean-Luc Godard, John Huston, Billy Wilder, Jacques Becker, Joséphine Baker.

Autres exemples :

Newton, Herschel, Pasteur, Jean Rostand, Davy Crockett, Buffalo Bill, Barnum (le cirque), Guynemer, Maurice Herzog, Charles de Foucauld. Un Cheval de Feu : Papillon.

LA CHÈVRE

13-2-1907 au 2-2-1908
1-2-1919 au 20-2-1920
17-2-1931 au 6-2-1932
5-2-1943 au 25-1-1944
24-1-1955 au 12-2-1956
9-2-1967 au 29-1-1968
28-1-1979 au 15-2-1980

Vos points de repère

La capricieuse Chèvre dit : pourquoi pas vous... Amusez-moi...

Entame une cour : fantaisiste, pleine d'humour et d'élans, puis réservée, timide, affective, cherchant à se rassurer.

Son désir : se sentir protégée, entourée, aimée, cajolée, elle a besoin de confort sentimental, comme de confort matériel.

Vous trompe : par jeu, selon ses humeurs, par goût incontrôlé du changement, pour se divertir, sans en envisager les conséquences, et tout en restant sincère.

Elle adore : la sécurité, le confort, sa maison, les travaux méticuleux, amoureuse inconditionnelle du beau, amie des arts; mais d'abord et avant tout elle adore sa tranquillité.

Ne supporte pas : les grosses responsabilités qui l'écrasent et l'ennuient, de se brouiller avec ses proches, de se retrouver seule.

Décide : qu'elle n'a pas à reconnaître ses torts, ceci accompagné parfois d'une mauvaise foi flagrante, ne se fie qu'à ses intuitions et à son bon goût.

Gros défauts : désinvolture, tendance à être superficielle.

Principal atout : c'est une artiste, caractère doux et facile...

Côté détente : la Chèvre est une artiste, alors attendez-vous à ce qu'elle vous traîne (au besoin) dans les galeries de peintures, concerts, salles des ventes; sa soif du beau est un véritable culte qu'il faudra savoir partager.

Côté finances : notre Chèvre est très dépendante, elle n'hésitera pas en tant qu'artiste à recourir à un mécène, et cela serait préférable, car elle n'est pas maîtresse en l'art de gérer un budget; s'il lui arrive parfois d'être économe, c'est plus pour se rassurer, que par raisonnement.

Symbole : le nuage.

Couleur : le bleu du ciel.

Plantes : l'anis vert et l'herbe d'absinthe.

Fleurs : chèvrefeuille.

Métiers Chèvre : acteurs-actrices, artistes, courtisanes, don juan, politiques (au sens théâtral).

La Chèvre aura une destinée plus heureuse si elle naît un jour de pluie.

Vos traits psychologiques et symboliques

Votre tendance est YANG.
Vous vous tenez au SUD.
Vous appartenez au solstice d'été.

Chèvre vous êtes une artiste, amoureuse du beau, minutieuse, perfectionniste; vous avez le goût des arts et des choses bien faites.

Chèvre des nuages et de la pluie, vous êtes d'une nature changeante, aimant la fantaisie; vous êtes légère, faite d'air et

La Chèvre est également appelée Cerf dans certaines régions du sud-est asiatique.

d'eau, vous gambadez dans la voûte céleste, le nez planté dans les étoiles, crevant de vos sabots d'argent les petits nuages moutonnants.

Chèvre fine et intuitive, vous manquez hélas de méthode, et vous obtenez vos résultats plus par ruse que par courage personnel. En effet, la Chèvre est d'une nature dépendante, elle recherchera réconfort, chaleur filiale et mécène, trouvant parfois refuge dans le mysticisme.

Chèvre volage, un peu irresponsable, vous vous braquez, cabrez devant les initiatives. Toutefois, si la vie vous met au pied du mur, vous saurez faire face; téméraire, volontaire, même têtue, vous vous acharnerez et arriverez à vos fins, tout en prenant garde de ne point vous mettre en désaccord avec votre entourage.

La Chèvre tient à sa tranquillité. Pour cela, elle n'hésitera pas à se montrer d'une parfaite mauvaise foi. Elle pardonnera facilement, même à ceux qui lui auront fait mal, afin de rester à l'abri, bien au chaud.

Malheureusement, notre Chèvre têtue et rebelle ne reconnaîtra jamais ses torts. En amour, elle sera également une affreuse volage, souvent superficielle. Le mariage n'aura pas raison de sa désinvolture, elle le considérera plus comme une sécurité qu'un don de soi. Excentrique et instable, ce bel animal donnera du fil à retordre à qui voudra se l'attacher...

Protégez-la du loup et elle n'aura cesse de lui tenir front et de le provoquer!

Chèvre intuitive et têtue, excentrique et désinvolte, à califourchon sur les nuages, Chèvre capricieuse, ou mère du monde, instrument du forgeron céleste, la Chèvre est protectrice, elle participe à la montée du grain et à l'essor du végétal. C'est un animal dur à cerner, mais avec qui il faudra compter. Elle ne fait que passer, frivole et légère, pourtant elle est nourrice de Zeus, allaitant les guerriers d'Odin, déclenchant les orages, maîtresse de la foudre et du tonnerre, faiseuse de pluie fertilisante, symbole de l'éclair.

Il faut laisser la Chèvre gambader à son aise, trottiner d'un sabot désinvolte; prêtons plus souvent l'oreille à ses intuitions, apprécions sa finesse et son bon goût, notre Chèvre est une artiste, et elle joue les écervelées. Car minutieuse, elle butine, telle l'abeille, de fleurs en fleurs. Qui saura l'apprivoiser, en son jardin céleste, chevauchera les nuages, la tête dans les étoiles.

Laissons-là danser jusqu'à l'aube, et laissons-nous guider par elle, comme les Anciens de Delphes.

Images, messages, oracles du Yi-King
en rapport avec la CHÈVRE

SIA TCH'OU/LE POUVOIR D'APPRIVOISEMENT DU PETIT

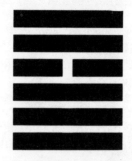

En Haut Souen – le doux – le vent
En Bas K'ien – le créateur – le ciel

Le vent souffle haut dans le ciel
Les nuages s'épaississent, mais la pluie ne tombe pas
Il faudra fermeté à l'intérieur
et pleine douceur à l'extérieur...

YU/L'ENTHOUSIASME

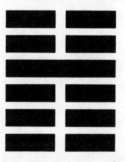

En Haut Tchen – l'Éveilleur – le tonnerre
En Bas K'ouen – le réceptif – la terre

L'enthousiasme du cœur s'exprime spontanément dans le chant, la danse, les mouvements rythmiques du corps, la musique.
Où sceller le lien entre la divinité et l'humanité,
entrer mystiquement en contact avec le monde céleste et le monde terrestre?

Conte Zen

Les deux grenouilles.

La sécheresse était grande, cet été-là à Osaka! Ce n'était plus une vie pour la grenouille, qui se dit :
« Allons à Kyoto, là, au moins, il y a un beau paysage et surtout de l'eau! »
A la même époque, la sécheresse sévissait à Kyoto. Ce n'était plus une vie pour la grenouille, qui se dit :
« Allons à Osaka, là, au moins, il y a un beau paysage et surtout de l'eau! »
Les deux grenouilles se rencontrèrent à mi-chemin, au sommet d'un mont, et se racontèrent les raisons de leur voyage; se persuadant de contempler chacune, du haut du mont, l'objet de leur vœu, elles se mirent alors à enfler et leurs yeux grossirent : la grenouille de Kyoto aperçut Kyoto, l'autre vit Osaka! Elles poussèrent un « pun pun » de colère. Celle d'Osaka dit : « Mais Kyoto, c'est comme Osaka! » L'autre dit : « Osaka, c'est comme Kyoto! » Et chacune retourna d'où elle était venue. En fait, elles n'avaient fait que voir l'image, l'une d'Osaka, l'autre de Kyoto, reflétée dans les yeux de chacune.

C'est parfois le cas de notre Chèvre.

Côté cœur

La Chèvre, pour être heureuse, a besoin d'une ambiance paisible, confortable, et d'une protection discrète lui laissant le loisir de vagabonder à sa fantaisie. Elle s'entendra bien avec une autre Chèvre, à condition que quelqu'un d'autre tienne les cordons de la bourse, ou qu'ils fassent un très gros héritage, en placements gelés et rentables.
Ses rapports seront également heureux avec le Sanglier sensuel et honnête qui ne lui prêtera jamais de mauvaises intentions et

La Chèvre est parfois victime
de ses caprices et de ses imprudences.

l'aidera, par son sens des finances et son goût de l'opulence, à vivre confortablement, sans manquer de rien; heureux aussi avec le Lièvre affectueux et pantouflard; l'un et l'autre pourront courir de droite et de gauche, sans qu'aucun ne s'en formalise, car ce sera fait avec douceur, élégance et complicité.

Il y aura aussi complicité avec le Cheval, qui jouera volontiers les Seigneur et Maître auprès de la Chèvre fragile. Mais elle risque d'être choquée par ses accès d'égoïsme.

Les rapports de la Chèvre avec le Buffle et le Chien seront difficiles : son dilettantisme les énervera, et elle ne rencontrera pas auprès d'eux la compréhension et l'estime dont elle a besoin.

Avec le Serpent, elle aura des relations agréables, tant qu'elle ne lui demandera pas de lui prêter de l'argent... Car le Serpent tient à ses sous, et déteste les pique-assiettes.

Le Singe développera les dons de la Chèvre pour la fantaisie; leurs rapports ne seront pas très stables, mais amusants et enrichissants.

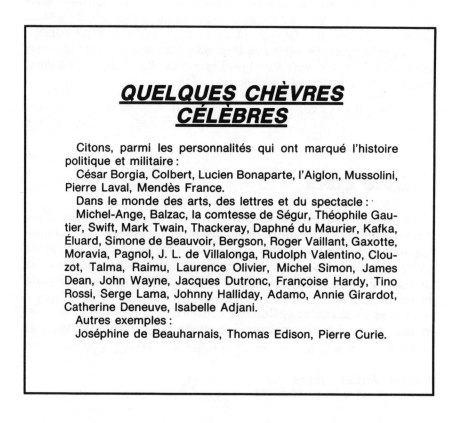

QUELQUES CHÈVRES CÉLÈBRES

Citons, parmi les personnalités qui ont marqué l'histoire politique et militaire :

César Borgia, Colbert, Lucien Bonaparte, l'Aiglon, Mussolini, Pierre Laval, Mendès France.

Dans le monde des arts, des lettres et du spectacle :

Michel-Ange, Balzac, la comtesse de Ségur, Théophile Gautier, Swift, Mark Twain, Thackeray, Daphné du Maurier, Kafka, Éluard, Simone de Beauvoir, Bergson, Roger Vaillant, Gaxotte, Moravia, Pagnol, J. L. de Villalonga, Rudolph Valentino, Clouzot, Talma, Raimu, Laurence Olivier, Michel Simon, James Dean, John Wayne, Jacques Dutronc, Françoise Hardy, Tino Rossi, Serge Lama, Johnny Halliday, Adamo, Annie Girardot, Catherine Deneuve, Isabelle Adjani.

Autres exemples :

Joséphine de Beauharnais, Thomas Edison, Pierre Curie.

LE SINGE

2-2-1908 au 22-1-1909
20-2-1920 au 8-2-1921
6-2-1932 au 26-1-1933
25-1-1944 au 13-2-1945
12-2-1956 au 31-1-1957
29-1-1968 au 16-2-1969
16-2-1980 au 4-2-1981

Vos points de repère

Le chevaleresque Singe dit : je dépose ma vie à vos pieds...

Entame une cour : souvent malhonnête, agile, persuasive, compliquée à souhait, sautant de branche en branche, jusqu'à vous donner le « tournis ».

Son désir : l'agitation physique et intellectuelle, la discussion, la lutte, la concurrence, que l'on parle de lui!

Vous trompe : tout naturellement, par plaisir de mentir, inconstance, irrésistible besoin de s'occuper des autres...

Il adore : se gargariser de belles paroles, plastronner, mais c'est un accumulateur de connaissances, il a une grande soif, et une intelligence vive, qu'il aime mettre en pratique.

Ne supporte pas : qu'on l'ignore, qu'on le dérange dans ses activités cérébrales ou sportives, que l'on ne reconnaisse pas son humour vis-à-vis des autres, bien entendu, et sa diplomatie, quand il le veut.

Décide : qu'il est le maître dans l'art de convaincre; tous les moyens lui sont bons... attendez-vous au pire lorsqu'il veut arriver à ses fins.

Gros défaut : complexe de supériorité.

Principal atout : sa lucidité.

Côté détente : ne tient pas en place, adore la discussion, rêve de tranquillité à la campagne; une fois le rêve réalisé, saute dans sa voiture à la moindre occasion et ne pense plus qu'à retrouver le monde et son agitation qui est son nerf de guerre.

Côté finances : la richesse quelquefois, par usurpation... les entorses ne le gênent pas, ou la bohème jusqu'à la fin de ses jours, histoire de se distinguer de ce qu'il considère comme « troupeau ».

Symbole : le Bateleur du Tarot.

Couleur : le violet.

Plantes : santal et cèdre.

Fleurs : de sureau.

Métiers Singe : Homme politique par excellence, écrivain, peintre, comédien.

Il lui faudra naître en été.

Vos traits psychologiques et symboliques

Singe, vous êtes né sous le signe de la fantaisie. Vous entretenez un fort complexe de supériorité. Sachant apprécier l'humour à condition qu'il ne se fasse pas à vos dépens. Mais ce qu'il vous faut d'abord et avant tout, c'est une agitation fébrile, perpétuelle, permettant à votre nature espiègle de créer des discordes, des conflits. Bref, vous êtes l'embrouilleur type. Plus les terrains sont marécageux, plus notre Singe s'y complaît, n'hésitant pas à être malhonnête, menteur. C'est un vif, un actif, un agile, possédant un goût très poussé pour la discussion. C'est un lutteur, recherchant la concurrence; très personnel, habile diplomate, il sait être inventif, créateur. Lorsqu'il veut, il est capable de doigté, à condition que cela serve son intérêt. Le Singe est également très chevaleresque, l'important est qu'il fasse parler de lui. Il peut même perdre beaucoup de temps en s'occupant d'autrui. Pour arriver au but qu'il s'est fixé, notre Singe ne reculera devant rien, et s'il lui arrive de se faire prendre en flagrant délit de malhonnêteté ou de mensonge, il saura s'en tirer d'une pirouette, faisant rire ou pleurer.

Sachez que dans le cerveau d'un Singe il n'y a ni trève, ni repos.

Le Singe : un comédien-né.

C'est une machine bien réglée, fonctionnant sur commande : ce genre de petit robot simiesque est une force redoutable pour les autres et pour lui!

Le Singe aime à se gargariser de belles paroles : brouillant les pistes à souhait, il arrivera à vous faire « gober » n'importe quoi, ou plus exactement ce dont il a envie. Redoutable, en effet, car le Singe est très intelligent, c'est un cultivé, sa soif de connaissance est intarissable. Hélas, il est souvent inconstant, partant telle une flèche et sautant sur une autre branche. Sa qualité primordiale est la lucidité, elle le rend dangereux pour les autres. Pour lui-même, il ferait bien de la cultiver comme une fleur rare, ce qui lui éviterait de papillonner, se disperser et se leurrer, car notre Singe finit par croire lui-même à ses trop belles histoires.

Au cours de sa vie il connaîtra de nombreuses difficultés. Toutefois c'est un souple, un parfait équilibriste, et il retombera toujours sur ses pieds.

En amour il est capable de s'emballer, mais il se lassera très rapidement. Par ailleurs, il est trop instable pour conserver le bonheur, il aura même tendance à s'empresser de le détruire. Il est rarement passionné, car trop lucide.

Singe bondissant de branche en cœur, vous êtes un disséqueur des âmes et des consciences. Vous possédez beaucoup d'atouts, alors ne piétinez point les fleurs sauvages, vous qui prétendez les aimer!

Singe bateleur, Singe forgeron, Singe du vent d'ouest, usurpateur, voleur de l'immortalité, compagnon des grands voyages, vagabond du spirituel, disciple rusé, tantôt Bodhisattva, tantôt scribe participant auprès de Toth à la pesée des âmes, vous sautillez sur les rayons de la roue du temps, équilibriste en attente de la chute du maître, prêt à le dévorer... Voyant de l'âme, lumière intérieure, il nous faudra prendre garde que vous ne souffliez la flamme, disparaissant à l'ouest, emportant avec vous le fruit de la pêche dérobée.

Votre atout primordial est la lucidité. Trait lumineux et pur, ou lumière noire, la vérité oscille, la bascule penche, le Singe se balance en sautillant, insouciant du bien et du mal. Intelligent, vous avez toutes les chances de réussir, toutes les chances de détruire.

Singe né de la division, ennemi du Rat, l'amour, le bonheur, la réussite, vous les croiserez tous sur votre chemin. Les retiendrez-vous? à moins que vous ne soyez réellement le symbole du détachement et que vous vous en détourniez, afin d'emprunter celui de la sagesse.

Images, messages, oracles du Yi-King en rapport avec le SINGE

PO/L'ÉCLATEMENT

En Haut Ken – l'Immobilisation – la montagne

En Bas K'ouen – le réceptif – la terre

Le combat n'est pas toujours direct
il peut miner progressivement, imperceptiblement.
La force Yin pousse avec une vigueur croissante et elle est
sur le point d'évincer complètement la force Yang.
La sagesse est parfois de s'y adapter et d'éviter d'agir.
Générosité et grandeur d'âme comme la terre
tranquillité de la montagne...

TOUEN/LA RETRAITE

En Haut K'ien – le créateur – le ciel

En Bas Ken – l'Immobilisation – la montagne

La lumière se retire devant la puissance de l'ombre afin de se
mettre en sûreté.
La retraite ne dépend pas de la Volonté humaine,
mais d'une loi naturelle.
C'est pourquoi se retirer constitue la façon correcte d'agir qui
n'use pas les forces.

Conte Zen

Penser, ne pas penser

Dans la montagne, un vannier fabriquait un panier, travaillant près du feu. La vieille de la montagne arrive : « Quel froid de canard », dit-elle. Le vannier se dit : « C'est l'atroce vieille de la montagne, il faut lui jeter de la cendre. » La vieille lui dit : « Tu veux me jeter de la cendre ? » Il est déconcerté. Il se dit : « Je vais lui faire goûter de ma hachette. » Elle lui dit : « Tu veux me découper avec ta hachette ? »

Il se dit : « Elle devine tout ce que je pense. Elle va me dévorer. » Et la vieille une fois encore lui dit ce qu'il pensait.

Il décide alors de ne plus y penser et continue son travail intensément, en silence.

Tout d'un coup, sans réfléchir, il lui envoie à la figure une poignée de cendres.

Elle s'enfuit alors, vaincue, dans la plaine.

Notre Singe connaît bien cette pratique...

Côté cœur

Le Singe, tout comme son ennemi intime le Rat, n'est pas un spécialiste de la bonne entente avec autrui. Il trouve toujours le moyen d'être insatisfait de quelque chose, se comporte avec une apparente légèreté qui fait qu'on l'abandonne souvent pour des personnes plus stables et plus fidèles... Et il en souffre profondément. Le comportement extérieur du Singe lui nuit, sa désinvolture attire la méfiance ou la jalousie, on le juge incapable de sentiments profonds... Son malheur est que, trop lucide, il ne se fait guère d'illusions... Et préfère en rire qu'en pleurer.

Il a intérêt à éviter le Rat, à moins que celui-ci ne soit muni d'une cotte de mailles; le Sanglier, qui est incapable de le comprendre, et le Tigre : en effet, le Tigre supportera mal les moqueries du Singe, et attendra la nuit pour le dévorer...

En revanche, le Singe s'entendra bien avec un autre Singe (qui se ressemble s'assemble); avec la Chèvre capricieuse, il s'amusera beaucoup, sans compter qu'ensemble ils pourront créer quelque chose d'original et mener une vie pas classique du tout. Le Dragon brillant et le sage Serpent feront chacun un effort pour comprendre le Singe et découvrir ce qu'il y a derrière ses pirouettes. Le Dragon fera des découvertes qui lui plairont, et restera près du Singe qui ne l'ennuiera jamais. Le Serpent, lui, se lassera : le Singe est trop remuant pour lui.

Trop cynique et critique, le Chien refusera d'avoir des contacts suivis avec le Singe; cela vaut mieux d'ailleurs, car ils se piqueraient sans arrêt... Quant au Sanglier, il sera séduit, au début, tout comme le Coq... Attention : le Singe essaiera de les plumer et ils ne se laisseront pas faire.

QUELQUES SINGES CÉLÈBRES

Citons, parmi les personnalités qui ont marqué l'histoire politique et militaire :

Jules César, Blanche de Castille, Cinq-Mars, R. Poincaré, Herriot, le Maréchal Joukov, Lyndon Johnson, Chamberlain, Truman, Vincent Auriol, Edgar Faure, Lecanuet, Georges Marchais.

Dans le monde des arts, des lettres et du spectacle :

Léonard de Vinci, Milton, Ronsard, Byron, Sade, Dickens, Dumas fils, Schopenhauer, Tchekov, Lulli, Coppée, Gauguin, Modigliani, André Breton, Antonin Artaud, Tristan Tzara, Dos Passos, Langevin, Padarewski, Bertrand Russel, Léautaud, Montherland, Boris Vian, Buster Keaton, Michèle Morgan, Nicoletta, Sylvie Vartan.

Autres exemples :

Louise de La Vallière, Ninon de Lenclos, le capitaine Cook, Louis Blériot.

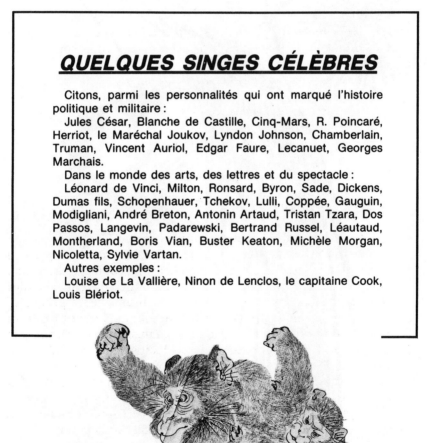

LE COQ

22-1-1909 au 10-2-1910
8-2-1921 au 28-1-1922
26-1-1933 au 14-2-1934
13-2-1945 au 2-2-1946
31-1-1957 au 16-2-1958
17-2-1969 au 5-2-1970
5-2-1981 au 24-1-1982

Vos points de repère

L'orgueilleux Coq dit : Qui oserait me résister?...

Entame une cour : époustouflante, agressive, puis cherche à se rendre indispensable.

En amour : préfère être aimé qu'aimer, volage pour se rassurer, mais peu sûr de lui.

Son désir : qu'on l'adore, le conforte, l'admire, le complimente.

Vous trompe : histoire de se prouver qu'il est irrésistible.

Il adore : le luxe, le bien-être, le faste, tout ce qui brille.

Ne supporte pas : de se faire évincer par un rival, ni que l'on découvre ses points faibles.

Décide : qu'il a raison.

Gros défaut : vaniteux, vantard, tendance à l'agressivité.

Principal atout : franchise et honnêteté.

Côté détente : adore les week-ends confortables et luxueux dans les petites auberges ou les soirées mondaines.

En Asie, l'Oiseau de Paradis
remplace parfois le symbole du Coq.

Côté finances : ne peut s'empêcher de dépenser, du genre : « je suis Mexicain, j'ai de l'or... ».
Symbole : le soleil.
Couleur : jaune.
Plantes : gentiane, armoise, oranger, palmier.
Fleurs : tournesol, aubépine.

Attention : le Coq né au Printemps sera moins fanfaron, mais quelle que soit la saison il devra toujours gratter le sol pour trouver sa nourriture...

Vos traits psychologiques et symboliques

Votre tendance est YANG.
Vous vous tenez à l'EST.
Vous appartenez à la pleine lune de la mi-printemps.

Vous êtes Coq, d'une nature franche et honnête. Pour vous, l'aspect extérieur prime, vous vous souciez peu de votre personnalité profonde, et n'aimez guère que l'on cherche à la découvrir. Votre apparence est celle d'un être riche en couleurs, altier et de belle prestance, très intelligent, possédant une grande mémoire : bref, les atouts nécessaires à une superbe élégance, afin de briller dans les mondanités, salons luxueux, sorties et grand faste.

Le Coq est très au-dessus du commun, mais il le sait. Il adore paraître, c'est même là sa préoccupation majeure, ce qui le rend fort vaniteux. Toutefois sa brillance lui attire des sympathies, car, de plus, notre Coq est capable de générosité et de sincère amitié. Volontaire, il pourra arriver aisément au succès, mais pour cela, il lui faudra dompter son caractère mouvant et instable et dominer ses excès de franchise, qui le poussent à assener son opinion avec la délicatesse du bulldozer. En fait il se soucie peu de l'opinion d'autrui, dans le style « ceux qui ne sont pas capables d'entendre la vérité ne valent pas la peine d'être fréquentés ».

Malgré sa pseudo-assurance, le Coq est un inquiet; sous ses airs fanfarons, il panique dès que les choses ne vont pas à son gré – il a tendance à se noyer dans un verre d'eau, se disperser dans de menus détails, et finalement il en arrive à oublier l'essentiel.

L'essentiel, qu'est-ce à vrai dire pour notre Coq, sinon son apparence flatteuse, la brillance de son plumage, et l'éclat de sa crête?

Coq, vous êtes tellement préoccupé de séduire, que vous arrivez à vous perdre, à douter – jamais satisfait de votre aspect extérieur, vous avez tendance à tourner en rond et à vous mordre la queue.

Alors descendez de votre perchoir, rangez votre côté gaulois, vantard et fanfaron.

N'oubliez pas : vous annoncez le lever sur soleil, l'apparition de la lumière, ce qui est remarquable. Mais l'astre du jour n'obéit pas à votre cri.

Le Coq et le Serpent sont tous deux symboles du temps : rapprochés, ils représentent l'esprit et la matière tendant à s'équilibrer dans une unité harmonieuse.

Comme symbole maçonnique, il sera à la fois signe de vigilance, et avènement de la lumière initiatique, vraie Connaissance.

Annonciateurs de la lumière, Gardiens de la vie, vous avez les ergots plantés en terre; battant l'air de vos ailes, guerriers vigilants, véhiculant l'âme des morts, témoins de la naissance d'Apollon et d'Artémis, quittez vos perchoirs – porte-drapeau et étendard – ne gonflez plus vos plumes, ne raidissez plus votre crête, vous êtes beaux et courageux, honnêtes et fraternels, sincères et droits, et rappelez-vous que tout flatteur vit aux dépens de celui qui l'écoute.

G. G. ELME

Images, messages, oracles du Yi-King
en rapport avec le COQ

YI/LES COMMISSURES DES LÈVRES
(L'administration de la nourriture)

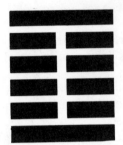

*En Haut Ken – l'immobilisation –
la montagne*
*En Bas Tchen –
l'éveilleur – le Tonnerre*

Les paroles sont un mouvement allant de l'intérieur à l'extérieur.

Le manger et le boire sont un mouvement qui va de l'extérieur à l'intérieur.

Les deux peuvent être tempérés par la tranquillité.

Les paroles qui sortent de la bouche ne dépassent pas la mesure.

C'est ainsi que l'on cultive le caractère.

Quand, au printemps, les puissances vitales recommencent à se mouvoir, tous les êtres naissent à nouveau.

LI/CE QUI S'ATTACHE, LE FEU

En Haut Li – ce qui s'attache – le feu
En Bas Li – ce qui s'attache – le feu

Tout ce que le monde contient de brillant dépend
d'un élément auquel il s'attache afin de pouvoir
briller durablement
le soleil et la lune sont attachés au ciel
les céréales, l'herbe et les arbres sont attachés à la terre.

Il faut savoir se soumettre aux puissances harmonieuses de l'univers.

L'homme parvient alors à la clarté sans vivacité excessive et trouve sa place dans le monde.

Conte Zen

Les deux nez

Un homme avait une très jolie femme, mais malheureusement son nez trop plat déparaît la beauté de son visage. Et même son meilleur ami lui répétait souvent : « Ton épouse est ravissante, dommage que son nez soit si plat! »

Un jour, se promenant dans la rue, il aperçut une femme qui avait un joli nez. Aussitôt, il s'empara de cette femme, lui coupa le nez, et le rapporta chez lui.

Il trancha également celui de sa femme, et lui fit une greffe avec le nouveau nez. Mais le nez ne tint pas, et il perdit à la fois deux très jolies femmes.

Moralité : A trop se préoccuper de l'aspect extérieur, notre Coq finit par tout perdre en oubliant l'essentiel.

Côté cœur

Nous savons que le Coq est sensible aux apparences. Il aime donc l'élégance, la richesse, la beauté. Les Coqs des deux sexes seront attirés par les Serpents d'aspect harmonieux, et pourront avoir avec eux d'intéressants rapports intellectuels, car ils aiment autant les uns que les autres la culture, et, en vrac, le calme, leur maison et la nature. Naturellement, le Coq aura du mal à installer dans son poulailler le Serpent indépendant et jaloux, qui réclamera une place à part. S'il l'a, tout ira bien.

Le Coq sera heureux aussi avec le Dragon étincelant. C'est un couple qui se verra de loin... Là, le Dragon prendra la tête, et le Coq devra suivre; mais il n'est pas assez fanatique du pouvoir pour ne pas y parvenir.

Avec le Buffle aussi, tout ira bien. Celui-ci supportera patiemment les vantardises du Coq, et appréciera son côté travailleur, acharné et courageux.

Préférant souvent, par inquiétude, être aimé qu'aimer, le Coq sera bien inspiré de choisir un partenaire du Rat : celui-ci, capable de passion, l'encensera juste ce qu'il faut, c'est-à-dire en en rajoutant un tout petit peu...

Mais attention : jamais deux Coqs ensemble. Ils se chicane-raient, se battraient et se rendraient la vie impossible... Même s'ils se trouvent sympathiques au début. L'un verra toujours avec un manque évident d'objectivité ses propres défauts lui devenir insupportables chez l'autre...

Le Chien trouvera le Coq superficiel et le lui dira, ce qui n'arrange rien. Et le Lièvre hésitant donnera au Coq envie... de lui voler dans les plumes. Avec le Sanglier, en revanche, cela n'ira pas trop mal : l'honnêteté les réunira.

QUELQUES COQS CÉLÈBRES

Citons, parmi les personnalités qui ont marqué l'histoire politique et militaire :

Marie de Médicis, Richelieu, Catherine II de Russie, Alexan-dre Iᵉʳ de Russie, Carnot, Elizabeth d'Autriche (Sissi), la reine Victoria, Casimir Périer, le général Boulanger, le Dr Goebbels, Michel Jobert, ainsi que Kléber, le général Patton et le pape Paul VI.

Dans le monde des arts, des lettres et du spectacle :

Colette, Dullin, Faulkner, Pierre Fresnay, Kierkegaard, J. de Maistre, Mauriac, Maurois, Méliès, Péguy, Jules Romains, Schubert, J. Strauss, Wagner, Rabindranāth Tagore, d'Alem-bert, Aragon, Claude Bernard, La Fontaine, G. Brassens, Yves Montand, Belmondo, J. Martin.

Autres exemples :

Madame Récamier, Fulton, Ste Thérèse de l'Enfant Jésus, et Caroline de Monaco.

LE CHIEN

10-2-1910 au 30-1-1911
28-1-1922 au 16-2-1923
14-2-1934 au 4-2-1935
2-2-1946 au 22-1-1947
16-2-1958 au 8-2-1959
6-2-1970 au 26-1-1971
25-1-1982 au 12-2-1983

Vos points de repère

L'inquiet Chien dit : oserai-je espérer que?...

Entame une cour : discrète et pessimiste.

En amour : se révèle être d'un tempérament fougueux; tendance à la lubricité.

Son désir : être entouré, aimé, a besoin de tendresse, de caresses, peur de la solitude.

Vous trompe : par accident ou besoin de compagnie.

Il adore : les films d'angoisse, histoire de se relaxer; le mystère et le bizarre.

Ne supporte pas : qu'on le mette devant les réalités; il a les siennes et ne veux pas les remettre en question.

Décide : souvent que la vie ne vaut pas d'être vécue...

Gros défaut : pessimiste, angoissé, voit les choses en noir.

Principal atout : fidélité, loyauté.

Côté détente : il aime les paysages romantiques, les soirées auprès du feu; quelquefois aime faire tourner les tables.

Côté finances : dépense par coups de tête, dramatise la situation.

Symbole : la nuit.

Couleur : noir, bleu foncé.

Plantes : le pavot et le nénuphar.
Fleurs : coquelicot et fleur d'oranger.

S'il naît la nuit, le Chien sera sans cesse sur le qui-vive.

Vos traits psychologiques et symboliques

Votre tendance est YIN.
Vous vous tenez à l'OUEST.
Vous appartenez à la pleine lune de la mi-automne.

Chien, vous êtes loyal et inquiet, lutteur et actif, honnête et travailleur, vous avez le sens de la justice et savez être à l'écoute du monde. Persévérant, respectueux des rites, intuitif, vous sentez le danger, mais votre drame est votre pessimisme permanent. Vous êtes l'angoissé, l'inquiet type. Pourtant, vous savez inspirer confiance, mais vous doutez perpétuellement de vous et des autres. Par ailleurs, vos jugements sont bons et rapides, à condition que vous ne les remettiez pas en question. Vous êtes un lucide, un pseudo-voyant, mais vos visions du monde sont souvent grises et brumeuses : vous faites de la vie, que vous considérez au fond de vous même comme un passage, une longue pénitence. Cela ne vous empêche pas d'être ambitieux, dépensier, vous avez même tendance à être du genre impulsif, soupe au lait : bref, il vous faut tout exagérer. Le Chien adore se noyer dans le brouillard; moins la visibilité est bonne, plus il se sent à l'aise.

Il faut avoir un moral à toute épreuve pour vivre à vos côtés car, hélas, vous n'offrez pas grand-chose en compensation de cette inquiétude qui vous rend sceptique et même cynique. Vous avez parfois du trouble-fête, de l'oiseau de mauvais augure : en société on vous évitera soigneusement si vous n'essayez pas de sortir de votre ornière ténébreuse.

En amour, malgré votre côté chaleureux et fidèle, les choses ne seront guère brillantes. Il est difficile de partager sa vie avec un annonciateur de catastrophes. Le meilleur remède étant le rire, découvrez les joies de l'humour, retrouvez votre calme, apaisez vos craintes, abandonnez votre sens critique, devenez un pessimiste actif et cessez de broyer du noir. N'oubliez pas que vous êtes un séducteur né, en vous sommeille un héros qui s'ignore. Par ailleurs, vous ne manquez pas d'appétit de puissance, de désir et de libertinage. Alors devenez loup, aiguisez vos jeunes canines, jouez les vampires, bref, sortez de votre niche et hurlez à la pleine lune, cela vous fera le plus grand bien.

Le pessimisme du chien vient de ce qu'il considère la vie comme une antichambre « d'autre-chose », d'un autre monde. Il est condamné à errer sur le seuil entre deux univers, à la recherche du paradis. Chien de la mort, Chien des enfers, Anubis, Cerbère ou Garm, Compagnon des mondes souterrains, des mondes invisibles, Chien des trois facteurs terre-eau-lune, chien-Yin, vous représentez la trilogie végétation-sexualité-divination.

Après avoir été compagnon de l'homme durant le jour, il deviendra guide pendant la nuit. Anubis, Cerbère, et Hécate lui emprunteront son visage, guidant ainsi les âmes au cours « des voyages ».

Lao Tseu en fait le symbole du caractère éphémère des choses de ce monde auxquelles le sage renonce à s'attacher.

Pauvre Chien, l'hérédité est lourde : il est difficile de tirer derrière soit le poids des âmes, de frapper aux portes, de les défendre, de prêter son image aux maîtres les plus terrifiants, d'effectuer le voyage, la descente aux enfers, d'intercéder entre les vivants et les morts, à cheval entre deux mondes, piétinant le seuil et portant le feu.

Chien des alchimistes et des philosophes, chien dévoré par le loup, symbole de l'avant-dernière étape du Grand-Œuvre.

Le loup dévorera-t-il le chien, abordant ainsi l'étape ultime, la conquête spirituelle?

Chien, il vous faudra descendre en vous même, vaincre vos craintes et vos inquiétudes, briser vos frontières afin que brûle le feu intérieur, la lumière.

Conte Zen

Où est l'infirme?

Deux hommes marchaient dans la nuit sur un chemin qui traversait une forêt obscure dans une montagne reculée. L'un d'eux était aveugle, et son compagnon le guidait. Dans les fourrés sombres, soudain un démon se dressa sur le chemin. L'aveugle n'éprouva pas la moindre crainte, alors que son compagnon fut terrorisé! L'infirme conduisit alors son ami...

Images, messages, oracles du Yi-King
en rapport avec le CHIEN

K'IEN/L'HUMILITÉ

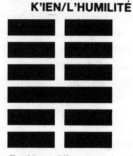

En Haut K'ouen – le réceptif – la terre
En Bas Ken – l'immobilisation – la montagne

Quand le soleil est au plus haut, il doit, de par la loi céleste, aller vers son déclin,

et quand il est au plus profond sous terre, il se dirige vers un nouveau lever.

Suivant la même loi, la lune se met à décroître quand elle est pleine, et quand elle est vide de lumière, elle recommence à croître.

Cette loi céleste opère également dans les destinées humaines...

KOUAN/LA CONTEMPLATION
(la vue)

En Haut Souen – le doux – le vent
En Bas K'ouen – le réceptif – la terre

Quand le vent souffle sur la terre, il se rend présent partout, et l'herbe doit se courber sous sa puissance.

Ainsi la nature peut offrir le spectacle d'une réalité grave et sainte.

Cette courte histoire nous offre quelque enseignement... Surtout pour notre chien pessimiste et angoissé, il lui faudrait mieux voir les yeux fermés.

Côté cœur

Le pessimisme naturel du Chien ne rend pas sa vie sentimentale très facile. Il a toujours l'air d'attendre le pire, ne se croit pas digne d'être aimé, et, une fois qu'il l'est, poursuit son partenaire de son inquiétude. Il est d'une jalousie maladive et aime avoir tout le temps près de lui l'objet de sa passion... a laquelle il demeure obstinément fidèle. Un vrai Chien n'aura jamais de liaison cachée, ni plusieurs aventures à la fois. Au pire, il le dira, pour soulager sa conscience, qui est si sévère...

Il s'entend bien avec la Chèvre dont le vagabondage n'est qu'apparent dès qu'elle a de quoi vivre, et avec le Lièvre, comme lui inquiet et épris de sécurité. Il peut avoir confiance dans le Buffle travailleur, mais la rigidité de celui-ci heurtera souvent sa sensibilité. Le Chien ne sera guère heureux avec le Serpent qui

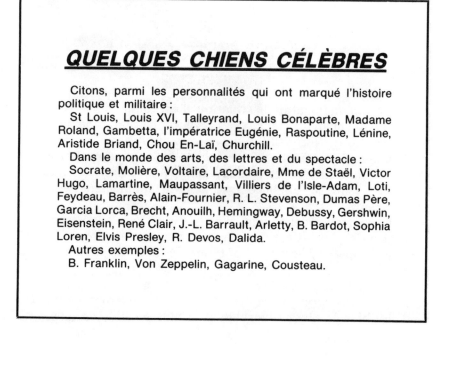

QUELQUES CHIENS CÉLÈBRES

Citons, parmi les personnalités qui ont marqué l'histoire politique et militaire :

St Louis, Louis XVI, Talleyrand, Louis Bonaparte, Madame Roland, Gambetta, l'impératrice Eugénie, Raspoutine, Lénine, Aristide Briand, Chou En-Laï, Churchill.

Dans le monde des arts, des lettres et du spectacle :

Socrate, Molière, Voltaire, Lacordaire, Mme de Staël, Victor Hugo, Lamartine, Maupassant, Villiers de l'Isle-Adam, Loti, Feydeau, Barrès, Alain-Fournier, R. L. Stevenson, Dumas Père, Garcia Lorca, Brecht, Anouilh, Hemingway, Debussy, Gershwin, Eisenstein, René Clair, J.-L. Barrault, Arletty, B. Bardot, Sophia Loren, Elvis Presley, R. Devos, Dalida.

Autres exemples :

B. Franklin, Von Zeppelin, Gagarine, Cousteau.

profitera impunément de la situation et le trompera avec tous les animaux du voisinage, pour revenir s'enrouler autour de lui entre deux aventures. Notre Chien y perdra son latin...

L'honnêteté, la naïveté et la sensualité du Sanglier profiteront au Chien; il sera rassuré et épanoui dans cette relation... Mais il souffrira lorsque le Sanglier l'abandonnera, simplement pour être un peu seul.

Le Tigre, trop indépendant, n'est pas d'un bon augure pour le Chien sur le plan affectif, mais en revanche leur loyauté, leur courage respectifs les mettront sur le chemin d'une bonne amitié.

Le Chien devra éviter le Singe, le Dragon et le Cheval, car il les critiquera sans vergogne, et ceux-là ne le supporteront guère... Or c'est le Chien le plus vulnérable et le plus sensible de tous.

LE SANGLIER

30-1-1911 au 18-2-1912
16-2-1923 au 5-2-1924
4-2-1935 au 24-1-1936
22-1-1947 au 10-2-1948
8-2-1959 au 28-1-1960
27-1-1971 au 14-2-1972
13-2-1983 au 1-2-1984

Vos points de repère

Le noble Sanglier dit : (sans douter de lui ou de vous) « je vous attendais... ».

Entame une cour : relativement compliquée, faite de manière incisive, tout en ayant la possibilité de se retirer à la moindre alarme.

En amour : est un sensuel, possessif, ardent et imaginatif.

Son désir : conserver sa liberté tout en se sachant aimé.

Vous trompe : pour calmer ses ardeurs et vous prouver que vous n'êtes pas le ou la seul.

Il adore : la solitude, la liberté, la beauté.

Ne supporte pas : l'intolérance, l'injustice et la mauvaise foi.

Décide : souvent sans vous...

Gros défaut : tendance à l'égoïsme et à la crédulité.

Principal atout : honnêteté et rigueur.

Côté détente : les balades interminables dans les bois, la poésie et le rêve.

Côté finances : aime l'argent, bien qu'il s'en défende, accumule et économise, ou dilapide sur un coup de foudre : pour lui, la beauté n'a pas de prix.

Symbole : le chêne.
Couleurs : le bleu, vert pâle.
Plantes : l'acacia, la lavande, le noisetier.
Fleurs : de genêt.

Si le Sanglier naît aux abords du jour de l'an, il court le risque d'être mangé...

Vos traits psychologiques et symboliques

Votre tendance est YIN.
Vous vous tenez au NORD.
Vous appartenez au solstice d'hiver.

Sanglier, vous êtes noble animal au cœur pur, symbole de l'honnêteté, de la rigueur morale et de la tolérance. Vous n'êtes pas du genre à tergiverser, vous êtes le contraire du Serpent-contourneur. Vous allez droit au but, ayant même tendance à être du genre « fonceur ». Sanglier scrupuleux, vous aimez agir seul, il vous faut prendre les initiatives, et vous ne vous embarrassez point d'autres que vous sur votre route, vous souciant peu de votre prochain. Hélas, on peut vous tromper, vous abuser, car vous accordez trop facilement votre confiance. N'étant pas du genre « pervers mental », on vous grugera facilement, se servant de votre côté confiant et crédule. Pourtant, vous savez être soupçonneux, malheureusement pas toujours lorsqu'il le faudrait. Vous vous trompez souvent et vos arguments ne sont guère convaincants, alors il vous arrive de céder, d'abandonner le combat : ennemi de la dispute, vous déposez les armes. Toutefois, vous êtes volontaire, voire obstiné. Vous aimez l'argent, bien que vous vous en défendiez. La discussion ne vous déplaît pas, mais vous êtes du genre « mauvaise langue ». Peu fait pour la vie sociale, vous êtes un solitaire, parcourant vos sentiers boisés à la recherche d'un monde idéal et pur dont vous rêvez secrètement d'être le maître.

Dans la tradition chrétienne, le sanglier prendra une forme néfaste et noire, symbolisant le démon. On le rapprochera du cochon goinfre et lubrique, fougueux, ne maîtrisant point ses passions. On évoquera alors son passage dévastateur à travers champs, vergers et vignobles.

Sanglier, vous êtes aussi symbole de l'opulence et de la richesse. Représentant le confort matériel, vous serez le maître du palais en Chine, ou bien encore vulgaire cochon tirelire dans lequel on enfouit ses trésors. Trésor matériel ou trésor spirituel, êtes-vous noble Sanglier au cœur pur, ou cochon lubrique, accumulateur de biens?

Vous êtes également un sensuel, cultivant votre jardin secret à l'ombre du chêne sacré ou du pommier d'immortalité. Vous vous sentez très peu concerné par la vie sociale, le tumulte et à la course effrénée au succès, vous préférez les promenades solitaires à travers bois : la forêt est votre domaine, votre univers, votre royaume.

Maître solitaire, compagnon du loup et du druide, il sera difficile de vous suivre à travers futaies et chemins creux. Animal au poil rude et aux défenses redoutables, en vous sommeille une âme tendre, éprise de beauté. Votre séduction relèvera de la prouesse, votre possession de l'envoûtement, mais nul être, fût-il aimé de vous, ne violera votre territoire.

Conte Zen

Les deux vaches à la mer

Dans la Chine ancienne, maître Tozan voyageait dans la montagne avec un ami.

Dans l'eau du torrent qui longeait leur chemin, ils aperçurent un morceau de légume qui flottait au fil de l'eau.

« Certainement quelque ermite habite non loin de ce torrent », pensèrent-ils, et ils continuèrent leur route. Ils arrivèrent au mont du Dragon, et aperçurent un petit ermitage dont sortit un vieil homme aux longs cheveux et à la barbe blanche.

« Depuis combien de temps vivez-vous dans cette montagne? »

Le vieil homme répondit :

« Je ne peux m'en souvenir. Le printemps vient, l'herbe pousse, les arbres deviennent verts. En automne, la nature devient rousse et le froid tombe sur la terre ».

Images, messages, oracles du Yi-King
en rapport avec le SANGLIER

TA YEOU/LE GRAND AVOIR

En Haut Li – ce qui s'attache – le feu
En bas K'ien – le créateur – le ciel

Le feu dans le ciel brille au loin, si bien que toutes choses sont éclairées et deviennent manifestes.
Force à l'intérieur, clarté et culture à l'extérieur.
La force s'extériorise avec finesse et maîtrise du soi,
le soleil amène au jour le bien et le mal...

FOU/LE RETOUR
(le tournant)

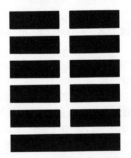

En Haut K'ouen – le réceptif – la terre
En Bas Tchen – l'éveilleur – le tonnerre

Le temps de l'obscurité est passé.
Le solstice d'hiver amène la victoire de la lumière.
Le chemin va et vient.
Tout vient spontanément lorsque c'en est le temps.

Ils insistèrent et demandèrent encore : « Pourquoi donc vous êtes-vous retiré dans la montagne du Dragon? »

Le vieil ermite expliqua : « Ce n'est pas très important. Mais ma vie a changé quand j'ai vu deux vaches qui combattaient très fort, puis sont entrées dans la mer; je ne les ai plus jamais revues depuis... Ma vie maintenant est très paisible ».

Ces deux vaches sont la métaphore du dualisme, des oppositions subjectif-objectif combattant sans cesse dans l'esprit. Un jour, ce vieil ermite réalisa que la Réalité Ultime est dans la disparition – ou la réunification de ces deux termes. Il partit dans la montagne. Ensuite, plus rien. Seulement cette vie paisible et solitaire de la montagne.

Il est difficile de ne pas penser à notre sanglier, symbole du spirituel opérant sa retraite tel l'ermite du conte chinois.

Côté cœur

A la fois honnête, rêveur, crédule, le Sanglier est aussi un grand sensuel qui résiste très mal aux tentations. L'occasion, l'herbe tendre... Et le voilà capable d'oublier père et mère. La seule chose qu'il oublie rarement, c'est de manger!

Il lui faut des partenaires passionnés : leur vitalité dans l'intimité a plus d'importance, à tout prendre, que leur fidélité. Mais il faudrait aussi qu'ils aient un minimum d'honnêteté, pour ne pas faire prendre à ce pauvre Sanglier des vessies pour des lanternes...

Ni le Cheval ni le Tigre ne sont réputés pour leur fidélité, mais ce ne sont pas des tièdes en amour : ils apporteront beaucoup de satisfactions au Sanglier. Le Lièvre volage mais affectueux l'entourera d'attentions qui feront sa joie.

Le Serpent peut attirer le Sanglier, car il ne manque pas de séduction, et son élégance naturelle le rend souvent irrésistible. Mais après quelques étreintes, il risque, en bon python, de s'approprier le Sanglier et de le digérer, héritage compris. De même, ce dernier sera fasciné par l'intensité de sentiments du Rat, mais ne comprendra rien à ses complications, et en sera malheureux. La mauvaise foi et le manque de sens des responsabilités de la Chèvre l'en éloigneront de façon souvent définitive : le Sanglier aime savoir sur quel pied danser. C'est pourquoi il aura intérêt également à se méfier du Singe...

Le Buffle lui semblera sévère, et il comprendra mal les inquiétudes du Chien : bon vivant, il est énervé par ceux qui visent des buts trop inaccessibles.

Restent le Coq et le Dragon. Diagnostic mitigé... Il y a chez ces deux-là un peu trop de surfaces brillantes pour attirer notre Sanglier, qui aime la simplicité, tout en nourrissant vis-à-vis de l'argent des sentiments très ambivalents...

QUELQUES SANGLIERS CÉLÈBRES

Citons, parmi les personnalités qui ont marqué l'histoire politique et militaire :

Henry VIII d'Angleterre, Cromwell, Choiseul, Mme de Maintenon, Marie-Antoinette, d'Artagnan, Marat, Murat, Garibaldi, Bismark, Saint-Just, Foch, Albert Ier de Belgique, Montgomery, Jean Moulin, Bidault, Pompidou, Rainier de Monaco.

Dans le monde des arts, des lettres et du spectacle :

Pascal, Buffon, Berlioz, Mérimée, Labiche, Rilke, D'Annunzio, Thomas Mann, Ravel, Salacrou, Cendrars, Chagall, Audiberti, Saint-John-Perse, C. G. Jung, Marcel Achard, Jouvet, Misstinguett, Delon, Sardou, Julien Clerc.

Autres exemples :

Jacques Cartier, la Du Barry, Albert Schweitzer, Le Corbusier, Rockefeller, Rothschild, H. Ford.

Sanglier, Lièvre, Tigre, Chèvre :
des rapports passionnés.

3

L'ASTROLOGIE
DE L'EST À L'OUEST

Qu'y a-t-il de commun entre la cuisine chinoise et la cuisine française? A peu près rien. Sauf que les deux se mangent.

La préparation des aliments est complètement différente. L'assaisonnement n'a rien de commun. Les ingrédients ne sont pas les mêmes, et leurs origines non plus. La différence existe également au niveau des quantités, de la variété des plats, de l'importance accordée, psychologiquement et socialement, au repas... Et de la façon de manger. Comme certains cuisiniers chinois doivent pouffer derrière les rideaux de perles de leurs officines, en nous voyant manipuler maladroitement ces choses étranges appelées baguettes, et qui ont la déplorable manie de tomber dans la sauce au moment le plus inopportun...

Autre question : quels sont les points communs entre la médecine telle qu'on la pratique en Occident, et l'acupuncture? Réponse : cela sert à soigner. Mais, là encore, les méthodes ne sont pas les mêmes, les soins apportés agissent de façon différente sur l'organisme.

Venons-en au fait. Quelle est la ressemblance entre l'astrologie occidentale et l'astrologie chinoise? Réponse : les deux servent à mieux comprendre un être humain, son comportement, ses possibilités, voire son devenir. Mais pour parvenir à ce résultat, on utilise des ingrédients fondamentalement différents.

L'astrologie, comme nous la pratiquons en France, est un moyen d'étudier la personnalité et sa projection dans l'avenir, d'après la position des planètes du système solaire lors de la naissance de chaque individu. A cela s'ajoutent des méthodes plus complexes : calcul de l'Ascendant et des onze autres Maisons, nécessitant la connaissance de l'heure et du lieu de la naissance; aspects formés par les planètes entre elles; signification des signes du zodiaque; correspondance de ceux-ci avec les quatre éléments (Feu, Terre, Air, Eau) etc...

En astrologie chinoise, nous venons de le voir dans les chapitres précédents, il y a aussi douze signes. Notons qu'ici le terme « zodiaque » est nettement plus approprié, ce mot venant du grec *zodiacos :* cercle d'animaux. Les signes chinois sont tous en rapport avec un animal. Les signes de notre zodiaque, eux, ne le sont pas tous : les Gémeaux, la Vierge, le Verseau sont représentés par une figure humaine; la Balance par un objet.

Cette première analogie posée, il serait tentant de mélanger les deux zodiaques, et d'établir un parallèle entre les signes. Superficiellement, c'est possible : le Taureau et le Buffle sont proches, symboliquement. Le Lion et le Tigre également.

Mais le Rat, avec quel signe occidental pourrait-il avoir quelque chose de commun sur le plan symbolique? Et le Singe? Et le Chien? Il n'est pas nécessaire d'aller plus loin pour réaliser qu'il n'y a aucune analogie réelle, régulière et analysable entre ces deux zodiaques.

Deuxième complication : les éléments. Vous êtes Taureau? alors votre élément est la Terre. Votre enfant est Lion et votre mari Verseau? Le premier est « Feu », le second « Air ». Maintenant, en astrologie chinoise, êtes-vous, par exemple, Dragon? Eh bien, suivant votre année de naissance, vous pourrez être Dragon de Feu, Dragon de Terre, ou de Métal, ou de Bois, ou d'Eau.

Dans l'astrologie chinoise il y a cinq éléments, et non plus quatre : L'Eau, le Feu, la Terre, le Métal et le Bois. Si le dernier chiffre de votre année de naissance est un 1 ou un 6, vous êtes « Eau ». Un 2 ou un 7, « Feu ». Un 0 ou un 5, « Terre ». Un 3 ou un 8, « Bois ». Un 4 ou un 9, « Métal ».

Ces combinaisons signe-élément sont donc infiniment plus nuancées que celles que connaissent les astrologues occidentaux. Enfin, voici un obstacle de taille à notre petite tentative de comparaison : il n'est pas question de planètes en astrologie chinoise...

Il existe néanmoins quelques analogies entre les caractéristiques symboliques et psychologiques de nos deux cercles zodiacaux. La ressemblance n'est pas toujours évidente, et jamais totale; mais nous allons essayer de dégager les concordances les plus accessibles.

Le *Rat* séduisant, solitaire et impénétrable, dont le domaine d'élection est le *souterrain,* semble avoir de nombreux points communs, sur le plan de la psychologie, avec le signe secret, tortueux, agressif du *Scorpion,* animal nocturne qui se cache souvent sous les pierres ou dans les fentes des portes. Mais l'on serait bien en peine de trouver entre eux une analogie symbolique réelle. Seuls leurs caractères se ressemblent.

Le *Buffle,* tenace et travailleur, qui a pour domaine « l'enracinement à la terre » n'est pas sans présenter des ressemblances symboliques et psychologiques avec le *Taureau* réaliste, persévérant et un peu lourd. Le *Tigre* peut être symboliquement assimilé au *Lion.* Mais au niveau du caractère, il ne ressemble pas plus, par ses tendances (courage, indépendance) à notre Lion qu'à notre Bélier. Le *Lièvre* (ou *Chat*) est sans rapport symbolique avec les signes de notre zodiaque. En revanche, par son attachement au foyer, il se rapproche du *Cancer;* par son goût de l'équilibre et sa crainte des conflits, de la *Balance.* Aucun rapport symbolique entre l'un des signes du zodiaque occidental et le *Dragon,* animal mythique qui, d'ailleurs, ne peut se comparer à grand chose. Le Dragon doit être unique. Sur le plan psychologique, en revanche, ce lutteur brillant, impulsif et impatient, fait singulièrement penser à notre *Bélier* spontané, fougueux et irréfléchi...

Le *Serpent* pose un problème. Symboliquement, il serait tentant de le rapprocher du *Scorpion,* car ce signe est représenté par trois symboles : l'Aigle, le Scorpion... Et justement le Serpent. Les caractères, en outre, se ressemblent par leur côté sinueux, intuitif, et jaloux. Mais la sagesse, la sérénité et le don d'organisation du Serpent ne sont pas souvent l'apanage de notre venimeux arachnide... Sur ce plan-là, curieusement, il se rapprocherait plutôt du *Capricorne.*

Pas de problèmes en ce qui concerne le *Cheval.* Par son image, il évoque une partie du *Sagittaire :* le centaure. Par son caractère à la fois ardent, généreux, ambitieux et égoïste – original et conformiste à la fois – ce cheval-là est Sagittaire jusqu'au bout des sabots.

La *Chèvre* talentueuse et capricieuse est difficile à définir, à classer, car tout classement est rationnel... Et elle ne l'est guère. Son caractère indépendant, fantasque, et un peu parasite, la rapprocherait des *Poissons,* ou du *Verseau,* car c'est un signe d'Air et le domaine de la Chèvre est justement le *nuage...* Symboliquement, elle n'est pas loin du *Capricorne* (représenté par une chèvre à queue de poisson). Le *Singe* fantaisiste, rusé et lucide, ressemble comme deux gouttes d'eau à notre insaisissable et distrayant *Gémeaux.* Au niveau du caractère, car sur le plan symbolique, les rapprochements ne sont pas évidents.

Il n'y a pas d'animal ailé dans le zodiaque occidental. Donc, le *Coq* devra demeurer hors de toute analogie symbolique. Mais sur le plan psychologique, il fait fortement penser, par son côté un peu « chauvin », défenseur du foyer et de la patrie, à certains *Cancers* extravertis, à la fois aventureux et obsédés de sécurité. Par son côté hâbleur, bon cœur, sincère, il se rapproche plutôt du *Bélier.* Le *Chien* inquiet et idéaliste, qui a souvent l'impression de ne pas savoir ce qu'il fait dans cette vallée de larmes, tient à la fois, curieusement, du *Verseau* et de la *Vierge.* Du *Verseau* par son côté « défenseur de la veuve, de l'orphelin et des minorités opprimées » espérant en un monde meilleur. De la *Vierge* parce qu'il n'est pas très sûr de lui, plutôt pessimiste, et très attaché à protéger ses frontières – physiques, morales, et matérielles.

Quant au *Sanglier,* animal têtu, sensuel, un peu naïf, mais prêt à s'emballer, il tient beaucoup du *Taureau,* un peu du *Bélier...*

QUAND UN SIGNE CHINOIS RENCONTRE UN SIGNE OCCIDENTAL

RAT +

RAT *BÉLIER*

L'alliance avec le Bélier décuple l'agressivité du Rat tout en modérant son inquiétude innée. Au lieu de surveiller les différentes issues possibles de son souterrain, il fonce. S'il se cogne, ou démolit une paroi, il s'arrête, réfléchit, calcule sa trajectoire... Et repart. Il est efficace en diable, et sa devise pourrait bien être : « qui veut la fin veut les moyens ». Plutôt franc et direct pour un Rat, très sociable, mais ne brillant pas par la patience, il peut être délicieux à vivre, à condition de tenir le rythme. Car il n'arrête jamais (Mesdames, attention : cela peut faire un merveilleux amant... Même si, après la fête, il oublie de vous téléphoner pendant quinze jours. Normal : il n'a pas la notion du temps).

Il faut lui laisser une liberté totale. Il est terriblement indépendant, et déteste qu'on lui marche sur les pieds.

Avec lui, inutile d'épiloguer sur vos souvenirs d'enfance ou d'édifier des châteaux en Espagne : ce qui l'intéresse, c'est le présent. Il a besoin d'être occupé, voire débordé, en permanence, pour ne pas devenir malheureux et insupportable. Quelle vitalité!

RAT/TAUREAU

Seigneur, quel charme! Ce Rat-là sait s'y prendre, et de la carmélite à la fille de joie, en passant par le Petit Chaperon Rouge et sa grand-mère, on ne voit pas qui saurait – et voudrait – résister à ce mélange ravageur de séduction fatale, « donjuanesque », et de gentillesse apparemment bonhomme. Il sait très bien ce qu'il veut, et il en veut beaucoup, car il est avide de confort, de sécurité... Et d'amour. Assez tranquille, il ne s'agite que lorsqu'on vient déranger son plan d'action, perturber ses ambitions. Là, il devient franchement désagréable.

On a tout à gagner à le prendre par la douceur, à le laisser exercer son autorité, qui est bienveillante, à se mettre sous sa protection... Et à y rester. Car il déteste être dépossédé. C'est son cauchemar secret, sa hantise. Ces conditions rassemblées, c'est un être agréable à vivre, surtout en famille : il ne laissera personne manquer de rien. Lui en premier... Mais attention : ne jamais chercher à violer son intimité, à percer ses secrets. Cela viendra, un jour... Ce sera merveilleux, extraordinaire. Et bref. En fait il ne se livre que lorsqu'il le veut... Et dans une atmosphère très, très intime.

RAT/GÉMEAUX

Rat insaisissable. Attention : c'est un virtuose de cette « acrobatie-acrobatie » dont le but est de sauvegarder son indépendance et son autonomie. Lorsqu'il parle de lui-même, il devient un véritable kaléidoscope, et personne ne s'y retrouve – pas même lui.

Sa tactique habituelle est la fuite en zigzags – celle qui entraîne l'ennemi dans les pièges les plus inattendus. Son arme favorite : l'écran de fumée; son oxygène, le brouillard.

En apparence, il est très sociable, se comporte avec une aisance remarquable, s'adapte de façon confondante aux situations les plus épineuses. Cela l'amuse, mais cela ne l'engage pas. Rien ne peut réfréner sa capricieuse recherche – qui est un avide besoin d'expérimentations diverses. Fasciné par un problème délicat, une énigme ou un mystère, il est capable d'oublier père et mère. Infiniment curieux, doté d'une intelligence brillante, perspicace, il est de ceux qui ne savent pas résister à un quelconque sphinx de passage. Encore heureux s'il ne prend pas pour un sphinx le premier chat de gouttière étique qui vient rôder dans les ruelles de son imagination insatiable et féconde...

RAT/CANCER

C'est un Rat de velours, de coin du feu, qu'on a envie de caresser. Il semble calme, tendre, affectueux... Attention! sous ses abords paisibles, transparents, il est compliqué, secret. Il n'a pas son pareil pour se fabriquer un personnage factice, très bien ficelé d'ailleurs, dans le but unique de cacher à un monde jugé hostile les détours de son âme rêveuse, imaginative. Il a besoin, pour rester de velours, d'énormément de tendresse, d'attentions, de sécurité... Et ne supporte guère que de braves personnes bien intentionnées interviennent lorsqu'il fait une de ces crises d'indépendance qui sont chez lui, cycliques : de temps en temps, il a besoin de faire une petite excursion au-dehors. Ça lui fait un peu peur, il en frissonne d'aise.

Plus défensif qu'agressif, il est imprévisible, car on ne sait jamais exactement si l'on s'adresse à son personnage, ou à lui-même. Il dit tout le temps que personne ne le comprend. Et il a souvent raison. S'il semble être fier de ses différences, n'y croyez pas trop : en vérité cela le rend malheureux, car il est hyper-sensible, susceptible, et a profondément besoin d'être apprécié.

Pourvu de facultés créatrices remarquables, détestant être embrigadé, il peut réussir... A son rythme, qui est tantôt très lent, tantôt d'une surprenante rapidité. Méfiez-vous du Rat qui dort...

RAT/LION

C'est un Rat rugissant. Il n'est pas conseillé de lui barrer le chemin. Actif, rusé, entreprenant, sachant alterner à merveille charme et autorité, il aime être pris au sérieux et fait tout ce qu'il peut pour cela. Si l'on tombe entre ses pattes griffues, il n'est pas évident d'en sortir. Il semble invulnérable, redoutable. Au fond, il est en contradiction avec lui-même, aisément angoissé, car ce n'est pas facile de concilier son côté Rat tortueux avec son côté Lion superbe. Il est capable d'actions grandioses, pour des motifs intéressés, voire mesquins, ou d'agissements compliqués et sournois, dans un but élevé : cela peut le rendre imbattable sur n'importe quel terrain, mais cela ne contribue pas à son équilibre intérieur. Il a besoin d'action, de dépense physique et morale, de passion pour vivre. Ce n'est pas un Rat tiède, et ses ambitions ne seront jamais banales. Si sa vie l'est, ce sera tragique. Il va devenir Lion en cage, Lion aigri, revendicateur et agressif. N'oublions pas que le Rat est un des plus intelligents parmi les animaux. Et il est arrivé le premier lors de l'appel de Bouddha. Le Lion n'aime pas beaucoup être second, non plus. Le Rat-Lion, pour s'épanouir et ne pas rouiller, aura besoin, comme lubrifiant, de l'admiration de ses proches, et des autres. Adulé, suivi, estimé, il sera heureux – et généreux.

RAT VIERGE

Rat discret. On lui donnerait le bon dieu sans confession, tant il semble organisé, soucieux de préserver la place de chaque chose. Il y a des points communs entre l'avidité du Rat et le besoin de sécurité de la Vierge. L'individu marqué par cette combinaison risque simplement de passer une bonne partie de sa vie à entasser des réserves, si importantes qu'il n'en viendra jamais à bout. Mais, même ainsi, il trouvera encore le moyen de contempler son souterrain rempli à ras bord de victuailles emballées sous vide et soigneusement répertoriées, avec un zeste d'inquiétude. Et les prédateurs? Pour les éliminer, il construit des pièges. Et les amis qui ont faim? Ceux-là, c'est tout simple, on ne leur parlera pas des réserves. Quitte à en perdre le sommeil à force de culpabiliser. Et ceux qui parviennent, malgré tout, jusqu'au secret bunker-congélateur du Rat-Vierge? Qu'ils n'essaient pas de voler une saucisse. C'est peut-être une de celles qui, en prévision de la chose, sont empoisonnées...

Inquiet, conservateur, nerveux comme ce n'est pas possible, le Rat/Vierge, en cas de pénurie, sera une providence pour sa famille, mais se transformera illico en serpent-cracheur à la moindre attaque venue de l'extérieur.

Autre point commun important entre ces deux signes : la sexualité. Réprimée mais violente chez la Vierge, intense chez le Rat, elle peut conduire à de curieuses alternances de pudibonderie et de débordements. Vous qui fréquentez un de ces étranges individus, soyez sans inquiétude : vous ne vous ennuierez pas et ne mourrez pas de faim...

RAT/BALANCE

Voici le plus doux, le plus sucré, le moins agressif des Rats. Chaque fois que son esprit critique lui souffle une réplique virulente, il se retient, la rengaine, parfois même, ô miracle! il l'oublie, et dit, à la place, quelque chose de vaguement banal mais de très gentil, histoire de se faire pardonner ses mauvaises pensées. Il faut vraiment marcher très fort, avec des chaussures à clous, sur les pieds du Rat/Balance, pour qu'il réagisse, en disant d'une voix aimable, « vous savez, cher ami, vous êtes sur mon pied... » Le point commun de ces deux signes est l'avidité affective. Elle est intense dans les deux cas. Les « Balance » sont incapables de vivre seuls. Les Rats sont aimants mais exigeants. Si vous êtes une pauvre orpheline, un malheureux poulbot égaré, et que vous rêvez de potages raffinés et chauds, d'intérieurs feutrés et de tendresse enveloppante... N'allez pas plus loin : vous avez trouvé votre idéal. A condition de ne pas vouloir, un jour, voyager ailleurs, là où l'herbe est plus verte. Cela finirait dans le sang! Si votre Rat est très Balance, il est capable de se jeter du haut de la tour Eiffel. S'il est très Rat, il vous entraînera avec lui. Mais, lui, il aura un parachute.

RAT/SCORPION

Rat à prendre avec des pincettes et à ne pas approcher sans une bonne provision de sérum antivenimeux. Il adore charmer, fasciner, séduire, et sur ce plan il est inimitable. Il sera financier avec les financiers, artiste avec les artistes, clochard avec les clochards... Puis, suivant son désir le plus viscéral, qui est de surprendre et de déconcerter, il se transformera, sitôt dit sitôt fait, en Arsène Lupin, en sorcier ou en milliardaire à Rolls. Ce Rat/Scorpion se sent, au fond de lui, tellement différent des autres, qu'il choisit souvent d'accentuer ces différences, et de donner ainsi libre cours à son agressivité.

Rien ne lui échappe, c'est un radar ambulant, bien armé, en parfait état de marche. Pour un peu il émettrait des sifflements modulés comme R2D2 dans la « Guerre des Étoiles »... Mais il a un point faible. Il est passionné, sensible, toujours prêt à y croire, à ces fameuses étoiles... C'est un romantique, même s'il ne veut pas l'avouer. C'est aussi un fidèle – quand il trouve un être assez solide pour lui tenir tête. C'est aussi un remarquable critique. Il aurait intérêt à en faire une profession, plutôt que de l'exercer sur ses proches. C'est le plus lucide, le plus secret, le plus déroutant des Rats. Le plus riche aussi, peut-être : on n'en voit jamais le bout. Ses conseils sont toujours utiles, indispensables, même lorsqu'ils sont durs à encaisser.

RAT/SAGITTAIRE

Ce Rat sociable et dynamique est fait pour entraîner les foules. Il est doué pour les discours, les argumentations, n'a pas son pareil pour convaincre. D'ailleurs, en général, ses idées sont généreuses, honnêtes, concrètement réalisables. C'est un bâtisseur. Lui, son rôle, ce sera de poser la première pierre. Ensuite, il interviendra quand il y aura des problèmes avec les syndicats. Puis il prononcera le discours d'inauguration. On enlèvera le voile... Et soudain apparaîtra l'Empire State Building, le Haut barrage d'Assouan ou la Muraille de Chine. Le Rat/Sagittaire aime les entreprises d'envergure. Il bougera beaucoup, tantôt séparant, tantôt rassemblant... Et s'avérera complètement indispensable. Incroyablement utile. A condition bien sûr de ne pas lui confier la comptabilité de l'entreprise. Ce n'est pas qu'il s'enfuirait ave la caisse : non... Mais il en ferait une dépression nerveuse. Son job, c'est de conduire, d'imaginer, d'inventer, de réaliser... Pas de suivre, ni de compter.

Faites-lui confiance : il ne se retirera pas les mains vides. Mais son pécule aura été gagné honnêtement. Plus les avantages, bien sûr... Un appartement avec piscine et hippodrome, au dernier étage de l'Empire State... Le tout rempli de ravissantes hôtesses... Il ne manquera jamais de rien et saura, partout, tirer son épingle du jeu. Mais sa vie sentimentale, reléguée souvent au second plan, restera vaguement inassouvie, petite musique insatisfaite, mélancolique.

RAT/CAPRICORNE

Rat sage et réfléchi, il ne manque pas d'efficacité. Ses qualités de ténacité s'allient à la persévérance du Capricorne. La maîtrise de ce dernier canalise son agressivité et la dirige dans les voies où elle sera la plus utile. Son charme, s'il est moins brillant, n'en est pas moins dangereux car il s'adresse à ceux ou celles qui recherchent la sécurité, la durée dans la passion.

Le Rat/Capricorne n'a pas l'air d'un plaisantin et nul doute que s'il vous demande de partager sa vie, c'est qu'il y a bien pensé, et que c'est bien à vous qu'il s'adresse. Mais il n'est pas très démonstratif. Il traîne presque toujours, derrière lui, une vague histoire d'amour amère dont il a du mal à se débarrasser. Il est méfiant, secret, peu démonstratif, et a peur du ridicule lorsqu'il souhaite faire une déclaration. Sachez qu'il est fidèle, fiable, discrètement affectueux. Sachez aussi qu'il ne répète jamais trente-six fois la même chose, « je t'aime » y compris. Et qu'il est inquiet, et beaucoup moins cynique qu'il n'en a l'air. A tout hasard, enveloppez-le de tendresse, et ne prenez pas ses rebuffades au sérieux. Ce Rat un peu Ours est une providence dans un foyer. Mais il est autoritaire. Avis aux amateurs...

RAT  VERSEAU

Ce Rat intelligent, inventif et idéaliste ne saurait se contenter des sentiers battus. Il vit sur deux plans : l'un, intime, très protégé, très secret. Attention, planète interdite. Sans chercher à en piéger les abords, comme le Rat/Vierge, il peut vous envoyer un rayon soporifique, ou vous transformer en crapaud. Non, ne riez pas... Il est un peu sorcier, ce Rat-là.

Le plan de sa vie sociale révèle un être différent, enthousiaste, prêt à se battre pour de grandes causes, à lutter pour un idéal. Plus c'est difficile, plus on ira loin. Il y a un Don Quichotte qui sommeille dans le Rat/Verseau. Mais son besoin de séduire, de charmer, de posséder, l'agressivité de certaines de ses réactions rebuteront bien des sympathies. Qu'importe! il se lasse vite lorsqu'il ne se sent pas soutenu. Il s'éloigne, cherche autre chose... C'est le vagabond de notre double zodiaque, vagabond de l'esprit autant que du corps. Mais il n'a pas son pareil s'il s'agit de décoder une lettre secrète, communiquer avec les extra-terrestres, réparer un ordinateur ou inventer la machine-à-remonter-le-temps. Ingénieux, imaginatif, bourré d'idées tantôt géniales tantôt abracadabrantes, il n'est jamais ennuyeux. Sauf s'il a une épouse popote, ou un mari cuisinier. Ceux-là deviendront finalement dépressifs devant leurs repas carbonisés. Mais ils se consoleront vite, car le Rat/Verseau, s'il n'est pas doué pour les petites attentions, est très compréhensif.

RAT/POISSONS

Rat muni de nageoires. Son souterrain est aquatique et il va dans tous les sens. Opportuniste, généreux, avide d'affection, au point parfois de subordonner sa vie à un amour, il est plutôt partisan du moindre effort et ne cherche l'aventure qu'en bonne compagnie, avec des arrières bien assurés. Capable d'une générosité intense, d'un dévouement allant parfois jusqu'à l'abnégation, il demande cependant (attention, c'est une condition *sine qua non*) à être pris au sérieux. Si on le vexe, si on se moque de lui, son agressivité ressort, qui, même dans l'eau, demeure imputrescible, ne rouille jamais.

Le Rat/Poissons est doué d'une réceptivité, d'une clairvoyance remarquables; qu'il peut cultiver avec bonheur. Mais il aura souvent du mal à concilier son désir d'aider autrui de façon désintéressée et son avidité profonde. Cela peut donner un gros poisson souriant, qui vous attire de ses chants harmonieux puis vous croque, avec un vague regret, car il aurait bien aimé vous connaître davantage. Les sirènes d'Ulysse étaient-elles des Rats/Poissons?

BUFFLE +

BUFFLE **BÉLIER**

J'ai connu, il y a bien des années, un Buffle/Bélier, dont le charme viril et l'attitude complètement indifférente vis-à-vis des femmes en fascinaient plus d'une. Lui, ce qui l'intéressait, c'était la terre et ce qu'elle pouvait rapporter, vite de préférence. Il avait un caractère aimable, quoiqu'un peu brusque, parce que pour lui, les discussions, c'était plutôt du temps perdu, sauf quand il s'agissait de rabrouer ses adversaires, sur un stade. Il était toujours couvert de bosses, de plaies... Et de terre. Il est devenu – ô insondable mystère de la destinée humaine! – banquier, et mesure, avec précaution, les prêts et les investissements, avant de rentrer chez lui, perché sur une énorme moto pétaradante.

La plupart des Buffles/Bélier répondent à cette description : matérialistes, très actifs, épris de vitesse et de rapidité sur tous les plans, peu enclins à la nuance, à la fleur bleue et à la romance, ils croient surtout ce qui leur saute aux yeux et ne s'embarrassent pas du reste. Subjectifs, égoïstes, mais francs comme l'or, incapables de la moindre méchanceté, prêts à tout pour défendre leur famille.. Mais coléreux, emportés. Si vous vous intéressez à la lévitation ou aux OVNI, évitez les Buffles/Bélier. Mais si vous avez besoin de partager une vie saine et active avec une personne solide et sincère, allez-y! Les complications de son caractère n'iront jamais jusqu'à lui donner des insomnies.

BUFFLE/TAUREAU

Il ressemble un peu à son prédécesseur, en plus calme, plus paisible, et plus entêté. Il est là, au fond d'une prairie verte et charnue, il respire doucement, voluptueusement, le parfum des fleurs en rêvant de récoltes abondantes et de vaches grasses. Il est doué pour faire fructifier, pour amasser, pour conserver, et si c'est bien à la campagne qu'il est le plus heureux, il peut aussi faire un excellent homme d'affaires, à condition de ne pas devoir prendre de décisions rapides. Car c'est un ruminant, un lent. Si on le presse, si on l'énerve, il s'angoisse, s'affole et finit par se mettre en colère. Et là, garez-vous! Le Buffle/Taureau en colère, ça tient du bulldozer, du kamikaze et de la fusée traçante. C'est dur à arrêter.

Sentimental, mais aussi éloigné du romantisme que Descartes l'est de Delly, il est fidèle et exclusif, exigeant sur le plan sexuel, sensuel, mais peu porté sur les petites attentions. Pour lui, être là, c'est bien suffisant, non?

Dans sa vieillesse, on l'imagine, tel le laboureur de La Fontaine, empoisonnant ses enfants avec des conseils pleins de sagesse et de roublardise, et leur faisant retourner, nuit et jour, leurs champs. Le Buffle/Taureau aime tellement la nature qu'il fertiliserait un désert. Il pourrait aussi en faire jaillir du pétrole, tant il est bourré de sens pratique et d'idées rentables...

BUFFLE/GÉMEAUX

Drôle de mélange. On peut s'attendre à tout! Le signe le plus « lourd » de l'astrologie chinoise mâtiné du signe le plus « léger » de notre zodiaque occidental, il y a de quoi dérouter l'observateur.

Au mieux, ce Buffle-là bénéficiera d'une faculté d'adaptation qui lui fait défaut la plupart du temps. Son esprit, ses reparties seront plus rapides et empreintes d'humour. Il sera moins dogmatique, plus facile à vivre... Mais moins « fiable » : on ne saura jamais, avec lui, lequel répond du Buffle sage ou du Gémeaux plaisantin. Cela dit, il sera charmant compagnon, sachant parler agréablement de sujets qu'il a étudiés à fond, et sécuriser son partenaire sans l'étouffer. Au masculin comme au féminin, le Gémeaux/Buffle sera plus doué pour la concentration que ses congénères. Cette alliance « équilibrante » se gâte lorsqu'on pense à l'impatience des Gémeaux : alliée au tempérament coléreux du Buffle, elle risque de produire des effets explosifs. Attention à ne pas trop contrarier ce Buffle éruptif qui se réveillera souvent au moment où on s'y attend le moins. Il ne vous sautera sans doute pas à la gorge : ce n'est pas un violent. Mais il éclatera en mille imprécations, parmi lesquelles vous pêcherez pêle-mêle tous les reproches qu'il avait envie de vous faire depuis sa première dent de lait.

BUFFLE/CANCER

Le plus familial des Buffles. Il ne quittera jamais sa rizière, et même en cas de cyclone restera ancré des quatre sabots dans le sol qui l'a vu naître. Pourvu d'une force d'inertie à toute épreuve et d'une persévérance décourageante pour ses adversaires, il ne s'arrêtera pas avant d'avoir atteint son but, même si, de l'extérieur, il donne l'impression d'être complètement passif et immobile.

Ce Buffle pantouflard transpose son besoin de commander dans la sphère familiale. Père autoritaire mais solide comme un roc, mère attentive, bien qu'un peu trop enveloppante, c'est la providence des foyers, la perle rare, la fée qui transforme en petit paradis la plus abandonnée, la plus poussiéreuse des vieilles demeures.

En amour, il est terriblement exclusif, et terriblement fidèle. S'il choisit quelqu'un, c'est pour la vie, et même après! Il a du mal à concevoir que tout le monde ne soit pas comme lui. Mais il n'est pas très démonstratif en société, préférant l'intimité aux conversations de salon. Avec ses proches, sa famille, ses amis, il est compréhensif, toujours particulièrement « présent », et adore les longues confidences nocturnes, à l'abri des édredons. Inutile de préciser que si l'on recherche l'aventure, la variété, si l'on a besoin en permanence de stimulants nouveaux, il est recommandé de ne pas lier son existence à un Buffle/Cancer, qu'il soit homme ou femme. Mais si l'on rêve de sécurité, si l'on a des angoisses à calmer... C'est l'idéal.

BUFFLE/LION

J'ai du mal à imaginer le Buffle/Lion dans un autre rôle que celui de Grand Chef. Il a en effet toutes les qualités et tous les défauts que l'on rencontre habituellement chez ce genre de personnage. Ambitieux, énergique, autoritaire, tenace, réaliste, pourvu d'un esprit de synthèse qui lui permet de dominer aisément les situations, sans se perdre dans les détails – ni en oublier – il est capable d'entraîner, de motiver, de diriger. Et il sait ce qu'il veut.

Buffle/Lion : le Grand Chef.

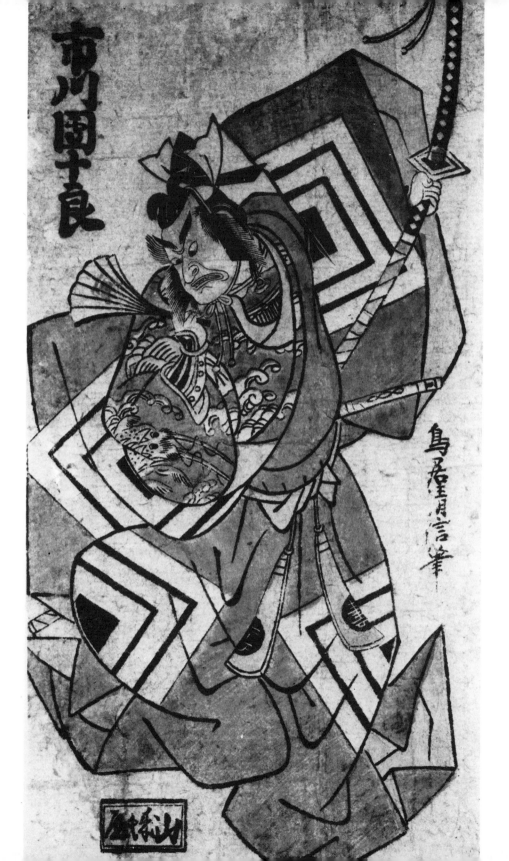

Il est lucide, implacable, vis-à-vis de lui-même comme des autres : l'orgueil léonin est ici atténué par l'objectivité du Buffle. Excellent stratège, combattant attentif aux point faibles de ses adversaires, il n'accepte pas l'idée d'une résistance, d'un obstacle infranchissable. S'il veut obtenir quelque chose, il utilisera tous les moyens connus, et s'ils ne suffisent pas, il en inventera d'autres.

Merveilleux, dites-vous ? Hélas, il y a un défaut à cette splendide cuirasse. Notre Buffle/Lion ne supporte pas l'échec. S'il « rate » sa cible, il en rendra la terre entière responsable, mais admettra difficilement ses torts. Que ce soit en affaires ou en amour, il aura bien du mal à repartir à zéro, à se renouveler, à tenir compte de conditions nouvelles. Parfois, sur la lancée de son ambition, il ira trop loin. Et la roche tarpéïenne est bien près du Capitole...

BUFFLE/VIERGE

Cette combinaison semble aussi favorable sur le plan mental qu'elle est délicate dans le domaine de l'affectivité. Le Buffle/Vierge est stable, prévoyant, plutôt conservateur (moralement et matériellement). Il a de l'autorité mais n'en demande pas plus aux autres qu'à lui-même, sachant à merveille définir les limites de chaque chose et de chaque être. Il est raisonnable, prudent, travailleur, et remarquablement bien organisé. Mais il est méfiant, scrupuleux, sceptique. Il craint qu'on essaye de le rouler, de profiter de sa bonne foi, qui est réelle, et de son honnêteté... Au-dessus de tout soupçon. S'il est contrôleur du fisc, par exemple, ou contrôleur du travail, du stationnement, de l'air, de la sécurité... Enfin, s'il *contrôle* quelque chose ou quelqu'un, nul doute que la réussite ne le boudera pas. Mais s'il ne se résigne pas à jeter aux orties son carcan d'idées préconçues sur la-parfaite-relation-affective-basée-sur-la-fidélité-et-le-devoir, notre Buffle/Vierge risque bien des déboires. D'autant qu'il manque de confiance en lui, qu'il est timide et s'empêtre dans ses scrupules, comme dans une toile d'araignée. Mettez-le dans un shaker, et secouez très très fort... Ou bien soûlez-le, histoire de le délivrer de ses hésitations... Et ne le laissez pas se dessoûler, bien sûr : il se méfierait encore plus, après...

BUFFLE  BALANCE

Le Buffle est profondément honnête et il a un sens aigu de la solidarité. La Balance est sociable et tourne trente-six fois sa langue dans sa bouche avant de dire bonjour, de peur que ce soit pris en mauvaise part. Le Buffle/Balance, en conséquence, sera impartial – ou tout au moins se croira-t-il impartial! – mais profondément exigeant quant à la qualité des choses et des êtres, l'authenticité de leurs démarches, le sens du devoir, le respect des lois, des traditions, etc, etc – Bref il sera moins complaisant qu'il n'en a l'air : son sourire avenant cachera souvent un jugement sans appel.

Sur le plan affectif il aura fort à faire pour concilier sa méfiance native avec son besoin viscéral, incontrôlable, de l'autre. Capable de rester des années avec une personne dont au fond il n'est pas très sûr, il peut s'empoisonner la vie à force de soupçons injustifiés. Heureusement, lorsqu'enfin la confiance est acquise, l'affection est d'une solidité à toute épreuve. D'ailleurs ce Buffle/Balance, tantôt tendre, tantôt bourru, a au fond un charme fou. Il faudrait vraiment être sadique pour avoir envie de le tromper ou de le décevoir. Car il est facile à vivre, sérieux, épris de stabilité et d'harmonie familiale. Il aime l'ordre, la beauté, le luxe calme... Et même la volupté. C'est un Buffle sculpté, esthétique, raffiné, qui regarde bien où il met ses sabots, de peur d'écraser les fleurs. Vivre avec lui est la chose la plus simple du monde : il suffit de ne jamais le décevoir, de ne jamais lui manquer, physiquement et moralement. Élémentaire...

BUFFLE  SCORPION

La lenteur du Buffle, ajoutée à la tendance du Scorpion à tourner en rond, à s'inquiéter, à culpabiliser, risque de produire un être renfermé, secret, anxieux, porteur de tous les miasmes de la terre et de l'enfer mélangés – mais capable de surprenantes explosions libératrices. Pendant des temps et des temps, le Buffle/Scorpion va rester tranquille – on croira qu'il dort, ou qu'il rumine... Sauf si l'on croise son regard attentif, présent, perçant. En vérité, il ne gaspille pas ses forces en vain. Il lui faut de puissantes motivations. Mais si on le touche au défaut du cuir, gare! En fait, il ressemble un peu à ces objets utilisés en temps de guerre, vous savez, ceux qu'on allume d'abord par l'intermédiaire d'une mèche, et qui, lorsqu'ils explosent, font beaucoup, beaucoup de dégâts...

Le Buffle/Scorpion est passionné, rancunier, excessif. Sa vitalité est extraordinaire, et bien canalisée. Il trimballe toujours avec lui une pleine besace d'arguments-massue et d'armes secrètes. Bref, il vaut mieux être son ami que son ennemi... Car il a aussi un tas de qualités. Il est d'une fidélité à toute épreuve, prêt à donner de sa personne, à risquer, à s'engager pour ceux qu'il aime. Il est intelligent, réfléchi, et de loin le plus perspicace des Buffles. Et puis, en amour, ce n'est pas un tiède. La vie avec lui tiendra plus de l'atmosphère propre à Dostoïevsky que de la bibliothèque rose. Mais quelle intensité...

BUFFLE SAGITTAIRE

Le plus sociable des Buffles. Un des plus énergiques, aussi, moins impulsif que le Buffle/Bélier, moins égocentrique que le Buffle/Lion. C'est vraiment un bon alliage : l'associationnisme peu sélectif du Sagittaire est freiné par la méfiance du Buffle. La lourdeur de celui-ci bénéficie de l'étincelle du feu dynamisant du neuvième signe du zodiaque. En somme, leurs qualités, leurs défauts s'équilibrent. L'être né sous cette configuration est actif et réaliste, sans être intéressé. Généreux avec ceux qu'il aime, il sait ménager ses réserves et prévoir les mauvais jours (n'oublions pas qu'il n'existe pas de natif du Buffle dont les cauchemars soient peuplés de vaches maigres : sans être avide, comme le Rat, il a besoin de sécurité). Son sens de l'opportunité l'empêche d'adopter des opinions et des voies trop rigides, et il semble souvent indépendant et libéral.

Attention : il est bien plus conformiste qu'il n'en a l'air, et s'appuie sur une échelle de valeurs extrêmement bien élaborée, dont chaque barreau est important. Si l'on dérange sa petite organisation morale personnelle, il peut devenir partial et sectaire, alors que trois minutes plus tôt on lui aurait décerné l'Oscar de la tolérance. Il est né, au fond, pour faire respecter les valeurs, pour maintenir l'équilibre, que ce soit dans une rizière ou à l'échelle mondiale. C'est un moraliste bienveillant, un excellent « directeur de conscience ». Si l'on se fie à lui, on ne fera jamais le moindre faux-pas. Le tout est de savoir si l'on a envie d'être dirigé...

BUFFLE/CAPRICORNE

Individualiste acharné et solitaire, ce Buffle-là n'est pas précisément un « marrant », et même s'il parvient à développer son sens de l'humour, il y a de fortes chances pour que celui-ci paraisse quelque peu noirâtre. A vrai dire, il possède à peu près toutes les qualités qu'on reconnaît à certaines personnes, en finissant l'énumération louangeuse par une phrase du style : « Mais mon Dieu, qu'il est ennuyeux! » Le Buffle/Capricorne est honnête, réaliste, et sa lucidité est sans failles. Ambitieux, autoritaire, il aime la puissance, et pour la posséder il fait preuve d'un tel acharnement, d'une telle fidélité à ses buts, que Pénélope et le Comte de Monte-Cristo, à côté de lui, font figure d'amateurs. Son sens du devoir est souvent étouffant, ses opinions un peu rigides, entêtées, sectaires; mais il termine toujours ce qu'il a entrepris, respecte la parole donnée, et ignore ce que veut dire le mot « mensonge ».

Au fond, le Buffle/Capricorne est un timide. Sa sensibilité, pour être enfouie sous une bonne couche de terre hivernale et gelée, n'en est pas moins intense, et elle lui joue souvent des tours. Et si, souvent, il ne semble se préoccuper que du contenu de son porte-monnaie, c'est tout simplement qu'il ne veut pas montrer que son cœur est en écharpe. Avec lui, il faut savoir faire le premier pas. Mais après, quelle récompense! ses sentiments sont aussi durables que les Pyramides d'Égypte. Et aussi loquaces...

BUFFLE  VERSEAU

Le Buffle, tout comme le Verseau, considère les débordements passionnels avec une méfiance certaine. Le premier a des critères de choix précis qui laissent peu de place au hasard, et le second craint, en versant dans le précipice des délires amoureux, de perdre son sacro-saint détachement. Inutile de dire que pour séduire un Buffle/Verseau, il va falloir vous lever de bonne heure, vous coucher fort tard, et faire appel à toutes les recettes de séduction possible, depuis la gentillesse jusqu'à l'indifférence, en passant par l'œuf d'autruche couvé par une nuit de pleine lune, cuit en omelette et mélangé avec quelques plumes... de l'oreiller du Buffle/Verseau en question.

Heureusement, il y a un truc qui marche à tous les coups. Le Buffle/Verseau ne résiste pas à l'amitié. C'est là son point faible... Et sa plus belle qualité. Cet être discret mais profondément humain est toujours présent pour écouter, aider et éventuellement donner un coup de pouce à la brebis égarée qui vient lui demander conseil. Le Buffle/Verseau est moins sectaire que ses congénères, et il essaye très honnêtement de trouver des excuses à autrui. Mais son idéal est fort élevé, et il n'aime pas qu'on le bouscule. Individualiste, tout en étant charitable, très indépendant, il adore qu'on lui demande quelque chose mais ne supporte pas qu'on le lui extorque.

BUFFLE  POISSONS

Drôle de mélange d'un animal aquatique et d'un autre toujours vissé à la terre nourricière. Le résultat est variable : dans le pire des cas, cela donne quelque chose de mal défini, d'un peu boueux, trouble, trompeur. Ce Buffle/Poissons-là reste enfoncé jusqu'à mi-corps dans sa rizière, à vous considérer d'un œil glauque. Puis, on ne sait pourquoi, il se met à foncer. S'il sait où il va, c'est génial. Mais il ne le sait pas toujours...

En fait, le véritable problème du Buffle/Poissons est de trouver son unité, de créer un lien entre les exigences de sa nature rationnelle, positive, et les débordements de son imagination. Lorsqu'il y parvient, ses capacités sont remarquables, car la rigueur, liée à la fantaisie, lui donne une sorte de créativité efficace et bien étayée. Très adaptable pour un Buffle, il sait saisir les occasions qui passent à sa portée, et modérer son individualisme pour une meilleure ouverture à autrui.

Plutôt timide, parfois même un peu « ours », c'est ce qu'on appelle un « gros sensible » : souvent plus motivé par l'affectivité que par l'ambition matérielle, il est capable d'attachements passionnés, exclusifs. C'est peut-être le plus sentimental, le plus charitable des Buffles, mais aussi le plus fragile : ses sabots sont plantés dans l'argile, et il le sait. Mais il peut, aussi, être un véritable artiste – dans tous les sens du terme, et dans tous les domaines de sa vie.

TIGRE +

TIGRE/BÉLIER

On peut vraiment dire que l'être signé par ce mélange animal qu'il a un « tigre dans son moteur ». Il est toujours prêt à démarrer, aime l'action pour l'action, et, inutile de le préciser... il n'a jamais perçu exactement l'utilité de l'existence des freins.

Les Tigre/Bélier sont des individus fascinants et fatiguants, car, fauves loyaux, ils ignorent les détours, en actes comme en paroles. Ils ne s'embarrassent guère de nuances, méprisent le qu'endira-t-on, rejettent allègrement tous les principes qui les gênent. La mémoire leur fait un peu défaut : ils vivent intensément dans le présent et dans l'avenir proche, supportant mal d'être contredits ou contrés. En général, on les aime parce que leur franchise est sans pareille, parce qu'ils sont vraiment bons et sincères, parce qu'ils ne vous font jamais d'entourloupettes. Ces qualités aident à supporter leurs défauts : ils sont coléreux, emportés, et rarements conscients de leurs torts. Il leur est très difficile de s'entendre avec les gens dont le tempérament est plus méditatif, car ils taxent illico cette attitude d'indifférence. S'ils vous aiment, vous ne vous ennuierez pas, mais vous aurez parfois envie de souffler. De toute façon, inutile de discuter, d'ergoter : ils sont comme ça, et ils ne changeront jamais. D'ailleurs, ils sont bien trop occupés à agir pour se poser des questions sur eux-mêmes.

TIGRE/TAUREAU

Ce Tigre-là est vraiment d'une redoutable efficacité, car le réalisme et la persévérance du Taureau apportent un poids non négligeable à l'indépendance et à la volonté du Tigre. Imaginez un félin doté de cornes bien aiguisées. Redoutable, non?

Cet animal sera merveilleusement à son aise dans la jungle financière, dans les dédales de la sylve boursière. Caché dans les fourrés – ou derrière un bureau – il attendra tranquillement son heure... Et fera sauter la banque. A la fois prudent et hardi, courageux et réfléchi, il saura provoquer la chance, attirer la richesse avec confiance.

Affectivement, il aura nettement tendance à vouloir dominer ses propres sentiments, comme il domine le reste. Mais ceux-ci lui échapperont souvent, pour éclater en de splendides flambées et se consumer trop vite. Lui, il voudrait que cela dure toujours, d'autant plus qu'il est un conquérant susceptible qui n'aime pas recommencer indéfiniment ses conquêtes. Ce qui est acquis est acquis, et il apprécie peu qu'on le remette en question. Mais il peut lasser les êtres qui ont besoin de marques d'affection, car il est souvent trop occupé pour en prodiguer. Chef de famille fiable, loyal, autoritaire, il aime voir l'ordre régner dans sa tanière, sinon, il rugit. Le Tigre/Taureau est un ami fidèle est il fait bon se réfugier sous sa patte protectrice. C'est aussi un ennemi rancunier. Il n'oublie jamais une « crasse », et pour lui la vengeance n'est pas un vain mot. Attention : il peut se montrer violent et sournois, si on le gêne. Avis aux amateurs...

TIGRE  GÉMEAUX

Cette combinaison est quelque peu téméraire, car la fantaisie et le goût de l'expérience des Gémeaux s'ajoutent à l'audace du Tigre. Cet individu risque fort d'être fasciné par les entreprises les plus étranges, les plus inattendues, et on l'imagine mal rester, matériellement et moralement, plus de cinq minutes à la même place. Toujours sollicité par une idée nouvelle à défendre, par un combat inédit, il est sans cesse prêt à démarrer. Il vit « sur la touche ». Ne tirez jamais un coup de revolver – ou de pistolet à amorces – à côté de lui, sous peine de ne plus le revoir : tout lui est prétexte à départ.

Enthousiaste, inventif, original, et volubile, le Tigre/Gémeaux a beaucoup de charme et il est, en général, fort intelligent et opportuniste. Mais la fidélité n'est pas son fort : il résiste difficilement au désir de séduire. C'est pour lui un jeu passionnant, qui l'engage d'ailleurs assez peu. S'il tombe sur un partenaire tolérant, cela peut durer toute la vie.

Au négatif, cette personnalité brillante risque de devenir superficielle, et de s'épuiser en discussions absurdes. Mais ce Tigre de papier est rare. Le plus fréquemment, il s'agit d'un aventurier, peu sécurisant, mais pourvu de panache, affrontant avec un courage frisant l'inconscience les conséquences de ses imprudences. Il s'en sort, car il a de la chance. Inutile de dire qu'il est doué davantage pour créer que pour réaliser, pour commencer que pour continuer.

TIGRE  CANCER

Le Tigre/Cancer, pour être équilibré et bien dans sa peau, a besoin d'un mode de vie tout à fait précis, même si, par ailleurs il hait viscéralement la précision. En effet, il lui faut un domaine d'activité et un domaine de repos. Dans le premier, il sera

ambitieux, lutteur, courageux, indépendant... Enfin, toutes les tendances particulières au Tigre, plus la ténacité passive spécifique du Cancer. Dans le second, il se vautrera avec délectation, au milieu des coussins et des fourrures, béat et affectueux comme un gros chat repu. Chez lui tout dépend de l'équilibre, du style, de l'ambiance. Un Tigre/Cancer satisfait développera en lui-même les meilleurs côtés des deux signes : fidèle, généreux, aimable, protecteur, et j'en passe. Mais si ce difficile équilibre n'est pas trouvé c'est le contraire qui se produira : d'où un être bohème, fuyant la responsabilité, instable, égoïste, et surtout d'une très grande susceptibilité.

En fait, le Tigre/Cancer est un peu chat : à la fois terriblement indépendant et très attaché à son vieux coussin et à ses chères vieilles habitudes. Du moment qu'on le laisse organiser sa vie comme il l'entend, que l'on ne s'oppose pas à son rythme particulier (il avance, il recule...) et que l'on n'intervient en aucune façon dans la répartition de ses énergies, il sera délicieux à vivre.

TIGRE/LION

C'est vraiment le Tigre Royal, dans tous les sens du terme. L'alliance entre le Roi des animaux (selon La Fontaine) et le Seigneur des jungles orientales ne manque pas de panache. L'être signé de ce mélange est orgueilleux. Il aime être pris au sérieux et d'ailleurs, il a toujours, dans l'allure, dans le comportement, quelque chose d'imposant. Qu'il soit Tigre/Lion Président d'une quelconque république, ou d'une amicale d'anciens buveurs de bière, il a de la classe, du prestige, de la brillance. Sa loyauté est à toute épreuve, tant qu'on le traite avec déférence; autrement, il peut devenir susceptible, mesquin même. En fait il a besoin de vivre à une certaine hauteur – en rêve ou en réalité – pour éclairer le monde de sa plus belle lumière. Abaissé ou contraint, il vacille, proteste, renâcle, profondément insatisfait mais quasi incapable de se débrouiller dans un cadre qui n'est pas le sien. Il est fait pour la Jungle, pas pour les haies banlieusardes.

Au niveau du quotidien, il ne sert pas à grand-chose, car il ne supporte aucune limitation morale ou physique. Et puis il ne sait pas où s'arrêter, puisqu'aucun obstacle ne lui résiste. Seule solution pour le retenir au foyer : les enfants, les responsabilités, le devoir, car un Tigre/Lion aimé se transforme en pelucheuse carpette – dans le privé – et en prédateur redoutable si l'on menace sa nichée.

TIGRE VIERGE

Merveilleuse combinaison, même si elle ne semble pas évidente au départ, compte tenu de la profonde disparité de ces deux signes. Il y a assez d'énergie et d'indépendance dans le Tigre pour contrebalancer les scrupules et les hésitations de la Vierge; il y a, en celle-ci, suffisamment de raison, de sens de l'organisation et de modestie pour calmer l'imprudence et le goût du risque du Tigre. L'être né dans une année du Tigre, sous le signe de la Vierge, a donc tout ce qu'il faut pour s'imposer autant par son panache que par ses qualités intrinsèques, et pour conserver son prestige et son autorité *ad vitam eternam,* grâce à son travail. Il peut faire un chef apprécié et estimé car il ne méprise personne et demeure attentif à tous les rouages d'une entreprise. Il peut également devenir un de ces syndicalistes redoutés qui font passer des nuits blanches aux comités de direction. Sa faculté d'être à la fois sur tous les barreaux de l'échelle sociale et hiérarchique tient du prodige. Il est quasi-inattaquable car ses points faibles sont peu nombreux, et bien dissimulés.

Tous les Tigre/Vierge sont fiables en amour car ils sont responsables; mais leur sens du rationnel ne fait pas toujours bon ménage avec leur goût de la conquête. Que dirait-on d'un fauve qui tourne quinze jours autour de sa proie, puis l'oublie pour aller vérifier son budget? Cela peut pourtant lui arriver... Ses proches ont tout intérêt à s'habituer à cette contradiction.

TIGRE BALANCE

Ce Tigre-là est sentimental et très vulnérable, car sa tendance à prendre des risques, à s'engager à fond, est parfois dangereuse dans le domaine de l'affectivité. Passionné, capable d'attachements intenses, il séduit parce qu'il a du charme, de la classe, qu'il est à l'aise, bien habillé (valable pour les deux sexes bien sûr) et très attentif, très prévenant avec ses partenaires. En plus, dans l'intimité, ce n'est pas un tiède. Déçu, il rompt noblement. Mais il est épouvantablement, affreusement malheureux. Car le Tigre/Balance, comme tous les autres tigres, ne supporte pas l'échec. Tout est remis en question, lui y compris, et il se demande vraiment s'il ne va pas quitter cette Jungle de larmes pour se retirer dans un monastère... Une fois dans le monastère, il retombera amoureux, car c'est là son état naturel. Mais entre temps, que de hauts et de bas...

Professionnellement, en revanche, le Tigre/Balance est très efficace, car il n'a pas son pareil pour faire patte de velours. Il s'entend bien avec tout le monde et traite autrui avec équité. Personne ne l'embête, car il est toujours très compétent dans son domaine, et ne recherche pas (ouvertement) les conflits. Un peu artiste, un peu spéculateur, il peut amasser d'énormes fortunes... Et aussi les perdre, par amour.

TIGRE/SCORPION

Il est si bien caché au fond des fourrés, se fondant dans l'ombre et les flaques de lumière, qu'on le distingue à peine. Si, par un hasard malencontreux ou à cause de votre tragique inconscience, vous posez un pauvre petit bout de pied à l'intérieur de sa tanière, vous entendrez – peut-être – un feulement dont vous vous demanderez (encore votre tragique inconscience!) s'il est amical ou menaçant. Prenez la fuite! il en est peut-être encore temps. Sinon, vous serez détruit, écrasé par un bon coup de griffe empoisonnée. Car voici le plus dangereux, le plus Tigre de tous les Tigres. Sinueux, perspicace, il connaît d'avance toutes les ruses de ses adversaires, et en possède quelques-unes d'inédites, en prime. Il a le sens de la stratégie et ne s'engage que dans les combats qu'il est sûr de gagner. Il triomphe, par intelligence, mais aussi par surprise, car, piège des pièges, il semble plutôt absent. On le croit inoffensif, et il en joue. D'ailleurs il joue de tout, il se sert de tout, il se souvient de tout.

Il y a du positif, du vivable, dans cet alliage. Le Tigre/Scorpion défend ses amis avec autant d'énergie qu'il se défend lui-même. Il est passionné, passionnant avec ses proches, il a de l'humour (un peu noir) et s'intéresse à beaucoup de choses. Simplement, il n'aime pas qu'on lui force la main. Respectez son indépendance, reconnaissez son individualité, et il – ou elle – sera un merveilleux – et distrayant – compagnon.

TIGRE/SAGITTAIRE

Le Tigre/Sagittaire est assez imprévisible. Tantôt il est admirable, tantôt il est horripilant, mais entre ces deux extrêmes il est pratiquement incapable de trouver le juste milieu.

Ses qualités, d'abord. Inutile de se donner beaucoup de mal, car le Tigre/Sagittaire se voit et s'entend de loin. Il est noble, juste, généreux, courageux, intrépide. Il ne connaît pas la mesquinerie. Il va de l'avant, avec panache, enthousiasme. Il est chaleureux, entraînant. Un peu Cyrano, un peu Don Quichotte, il aime conquérir, à une vaste échelle bien sûr. Même la femme Tigre/Sagittaire a quelque chose d'une flibustière. Elle n'est pas faite pour les fourneaux. Autant en prendre son parti.

Alors, comment se fait-il que ce héros devienne si odieux, parfois, dans la vie quotidienne? C'est qu'il n'est pas fait pour la quotidienneté. Il s'y étiole, et s'use en revanches un peu primaires, devenant conformiste, obsédé par le pouvoir, les titres honorifiques, les échelles hiérarchiques et sa sacro-sainte autorité. Le Tigre/Sagittaire sera heureux dans une agence de voyages, mais s'il se retrouve dans l'administration, il y mettra un désordre indescriptible. Il rêve des Trois Mousquetaires et de la Guerre des Étoiles. Qu'il travaille dans le rêve, justement. Il peut fasciner les foules, leur redonner une âme d'enfant – ce qu'il n'a jamais cessé d'être.

TIGRE  CAPRICORNE

C'est le rarissime Tigre de Sibérie, le Tigre blanc. A l'aise dans la bise glaciale des sommets enneigés du pouvoir (suprême, bien sûr) il considère d'un œil vaguement méprisant la foule qui s'agite au-dessous de lui. L'intrépidité du Tigre et l'austérité du Capricorne produisent un être vigoureux et inflexible, peu enclin aux attendrissements. Les fleurs bleues, à cette altitude, ne résistent pas longtemps. Et la force du Tigre/Capricorne, c'est justement son imperméabilité au milieu. Plongé dans l'arctique ou dans la mer des Sargasses, il reste ce qu'il est. Invulnérable. Intraitable. Naturellement, il est ambitieux, mais ce qui l'intéresse vraiment, c'est davantage le défi qu'il se jette à lui-même (*Quod non ascendam*?), le progrès à réaliser, le record d'endurance à battre, que la puissance sociale et financière. Bien sûr, si elle vient en plus, il en prendra soin, car il est travailleur, très persévérant pour un Tigre, et ne compte pas trop sur la chance. Sa volonté est de fer, et les risques qu'il prend sont calculés.

Si le Tigre/Capricorne, en raison de sa prévoyance et de sa rare lucidité, évite les pièges dans lesquels son imprudence naturelle le pousse, il n'est pas à l'abri d'une douloureuse sensation d'isolement, dûe à son côté abrupt. Il a pourtant de grandes qualités et n'est absolument pas superficiel. On peut compter sur lui, s'y appuyer. Cela a du bon. Mais inutile de l'emmener dans un cocktail...

TIGRE/VERSEAU

Le plus idéaliste des Tigres. Le plus utopique. Le plus sympathique aussi, peut-être, à condition de ne pas trop compter sur lui pour faire bouillir la marmite. C'est un nuage en forme de tigre. Vous croyez le tenir... Et hop! il est déjà à l'autre bout du monde, en train de distribuer du riz à de pauvres enfant affamés. N'implorez pas sa pitié : il vous l'accordera, bien sûr, car il ne la refuse que rarement, mais vous citera aussitôt une demi-douzaine d'exemples de personnes plus malheureuses que vous. Frustrant.

Le côté actif et risque-tout du Tigre remue l'air du Verseau; le côté intellectuel de ce dernier amène le Tigre à se poser des questions sur ses motivations et sur les conséquences de ses actes. L'être signé des deux peut donc faire de grandes choses, mais son ignorance des dangers cachés le mettra souvent dans des positions difficiles et inconfortables. Il a en effet tendance à voir toujours les gens meilleurs qu'ils ne sont. Affectivement, ce n'est pas une sinécure de construire quelque chose de durable avec un Tigre/Verseau. Ni l'un ni l'autre de ces deux signes ne semble spécialement fait pour le mariage. L'indépendance leur va mieux que les pantoufles. Même un Tigre/Verseau très amoureux et très fidèle ne restera jamais très longtemps chez lui. Ce ne sera pas pour courir la prétentaine, mais pour faire des expériences, pour s'engager, pour découvrir. Il ferait un excellent avocat, un chef spirituel un peu exigeant, un religieux, un cosmonaute... Enfin rien de banal. Quoiqu'il en soit, il adorera parler dans un micro.

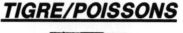

C'est un drôle de zèbre. L'influence du signe des Poissons ôte au Tigre une grande partie de son agressivité, de son intrépidité. Mais elle multiplie et surmultiplie son imagination et son goût du sacrifice. N'oublions pas qu'un vrai Tigre est noble, fier... Et qu'il ne recule pas devant un renoncement spectaculaire. Le Tigre/Poissons, est un peu mélo. Il adore les situations dramatiques, cornéliennes (Racine, c'est trop proche du réel), impossibles, en un mot exaltantes... C'est le champion des causes perdues, des amours tragiques. Il aurait besoin d'avoir à côté de lui quelqu'un de très affectueux et de très réaliste, pour lui remettre les pattes sur terre. Il est très important pour cet être sensible, un peu marginal, tendre et révolté, de trouver un job épanouissant lui permettant de se sentir utile, voire indispensable, ou de créer. Car il a des dons certains d'expression artistique, et beaucoup d'originalité. Mais il manque de sens pratique et de persévérance.

C'est peut-être plus facile d'être femme Tigre/Poissons, parce qu'il y a des tendances psychologiques que notre esprit imbu de conventions attribue plus aisément au sexe dit faible. Ce sera une ondine délicieuse, un peu tigresse sur les bords, saturée de charme. L'homme Tigre/Poissons a autant de charme. Poète un peu fou, il n'a pas son pareil pour faire surgir, chez la pire virago, des trésors enfouis d'instinct maternel. Mais il ne sait pas assez profiter des gens. C'est agréable pour les autres mais cela ne contribue guère à sa sécurité matérielle.

LIÈVRE +

LIÈVRE  BÉLIER

Les points positifs de cette alliance psychologique résultent, en fait, des profondes différences qu'il y a entre un Lièvre et un Bélier. L'un est sédentaire, prudent, paisible. L'autre est impulsif, actif et spontané. Le produit peut être un harmonieux mélange, et nous avons ainsi un Lièvre/Bélier mesuré sans l'être trop, actif sans l'être trop, qui, l'œil malin, nous susurre, depuis son confortable terrier : « l'excès en tout est un défaut ». Puis, dans la seconde qui suit, d'un bond plus rapide que l'éclair, il disparaît dans les fourrés. En somme, un Lièvre efficace qui fait bien son métier de Lièvre.

Il y a, on s'en doute, une grande vivacité de réactions dans cet alliage, et elle peut se manifester utilement dans la vie financière et professionnelle, l'audace et la prudence évitant de verser dans l'immobilisme comme dans la précipitation. Mais il y a aussi un besoin un peu superficiel, un peu primaire, de briller, de s'imposer, dans des domaines que l'on ne connaît pas à fond – un manque de pondération dans la discussion. Cela dit ce Lièvre sociable a besoin de compagnie; mais il sera plus amical qu'affectif.

LIÈVRE/TAUREAU

Le Lièvre/Taureau est un être délicieux ou horripilant, suivant que l'on s'adapte – ou non – au genre de vie qu'il aime mener. Il est en effet sédentaire, attaché à son univers, à ses pantoufles, à son jardin (très important, le jardin : c'est son oxygène. S'il n'en a pas, il devient lapin amorphe, s'endort et finit obèse). Pour lui, la sécurité est une fin en soi, et pour l'obtenir il est capable de manifester pas mal d'activité, beaucoup de persévérance et un remarquable sens du réel : ce sera un excellent homme d'affaires, avisé, prudent, habile. S'il ne grimpe pas jusqu'aux plus hautes sphères de la finance internationale, c'est simplement que, sur le coup de six heures, il y a comme un déclin dans sa tête. Il entend une petite musique douce, chargée d'effluves, qui lui rappelle que c'est l'heure de rentrer chez lui pour dîner. Il peut faire des heures supplémentaires pour acheter un vélo à son gosse, mais jamais pour s'entendre appeler « Chef ».

Il est affectueux aussi bien avec sa famille qu'avec ses amis : il adore les réunions au coin du feu. Mais ce mélange est dramatiquement sensible aux bouleversements extérieurs. Un vrai Lièvre/Taureau aura du mal, tout Lièvre qu'il est, à ne pas se casser une patte si on le jette par la fenêtre. L'imprévu est sa bête noire, et il peut perdre complètement son équilibre si on le confronte à un impondérable, touchant sa sécurité et ses acquis.

LIÈVRE/GÉMEAUX

Le plus agile, le plus insaisissable des Lièvres. Le plus léger aussi : il est aussi difficile de le saisir que de le retenir. Il se joue de tous les pièges et ne se laisse pas prendre dans le conditionnement, fatal à ses congénères, de la carotte et du terrier, équivalent de notre métro-boulot-dodo. Il voyage à ses heures, mange quand il a faim, se laisse caresser s'il en a envie et puis disparaît.

Lièvre/Gémeaux :
le plus fantaisiste,
le plus léger des Lièvres.

Certes, le Lièvre/Gémeaux est sociable, il aime dialoguer, discuter, courir le guilledou en compagnie. Mais cela n'ira jamais jusqu'à la dépendance. Il est totalement libre, vis-à-vis de lui-même, comme vis-à-vis des autres. Il ignore les structures et les barrières, n'écoute que sa fantaisie et sa curiosité. Instable, il l'est, probablement; mais il est aussi extraordinairement adroit, sur tous les plans. Il se tire des situations les plus épineuses. Quand vous le croyez en prison, en train de purger une peine pour escroquerie et détournement de fonds, vous voyez sa photo dans le journal, en conversation amicale avec le Président des États-Unis. D'ailleurs il adore surprendre... C'est Bugs Bunny.

En amour, il est souvent infidèle. La variété des aventures et des émotions l'attire plus que la carotte quotidienne. Il est plutôt difficile à attendrir. Mais au fond la solitude lui fait peur, et dans ces moments-là il est très vulnérable. A vous de savoir si vous voulez en profiter...

LIÈVRE/CANCER

Il y a pas mal de points communs entre ces deux signes : le premier, et non le moindre, est l'amour du foyer. Le second, très en contradiction avec le premier, est le goût de l'indépendance.

Le Lièvre/Cancer fait oreille de velours. Il est pelucheux, affectueux, et pas spécialement actif. Il est prêt à beaucoup de compromis pour préserver sa sécurité et se défend, en grognant, des agressions du monde extérieur. En cas de conflit, il fait semblant de dormir et développe une redoutable force d'inertie. Mais méfiez-vous du Lièvre qui dort... Poussé à bout, il se transforme en bête féroce. Aucun chasseur ne l'ignore.

Le Lièvre/Cancer est un lapin lunaire. Il aime rêver, mais peu parfois demeurer au stade du rêve, du projet; il est un peu vélléitaire. En revanche, lorsqu'il se sent apprécié de son entourage, il fait un effort et vient à bout de ce qu'il a entrepris. Dans son univers, il est volontiers paternaliste, et parfois se laisse aller à se vanter un peu, histoire d'attirer l'attention : il a grand besoin qu'on s'occupe de lui, et d'ailleurs, tout le monde lui pardonne ses moments fanfarons et sa suceptibilité car il est aimable, fidèle et préfère le coin du feu aux nuits humides...

LIÈVRE/LION

Lièvre impérial. Sa robe est somptueuse, et il la soigne. Il soigne aussi son image de marque et s'efforce d'atteindre à un certain idéal de vie, au fond assez conformiste. En général d'humeur égale et sociable, le Lièvre/Lion adore recevoir. Il aime le luxe, la beauté, s'entoure volontiers d'objets raffinés... Il est gourmand. Son point faible, c'est de très mal supporter les difficultés, car s'il ne manque pas de courage, il fait péniblement face aux chutes imprévues et aux événements qui dérangent son organisation. Il n'aime pas déchoir, déteste la promiscuité, la vulgarité, et se hérisse à l'idée de traverser une flaque de boue. En cas de bouleversement, il a d'abord un moment de panique, puis il fonce et renverse l'obstacle, à condition que l'obstacle en question soit noble et clair. Bref il n'est pas fait pour la navigation en eaux troubles.

Ambitieux sans être ostentatoire, il est tout à fait capable de s'intégrer dans une équipe et d'y être apprécié, car il ne manifeste pas son autorité de façon inconsidérée. Cependant, son adaptation aux autres dépend du respect dont ceux-ci vont entourer ses actes et son comportement : il a en effet besoin d'une approbation extérieure pour s'épanouir. Affectivement, il est loyal, passionné, mais plutôt exclusif.

LIÈVRE/VIERGE

Ne vous attendez pas à ce que ce Lièvre prudent et discret vienne se frotter aux jambes de quelqu'un qu'il ne connaît pas. Il est méfiant, distant. Il avance à pas comptés, aux aguets. Des fois qu'il y aurait un chien qui rôde... Le Lièvre/Vierge ne s'exposera jamais à un danger s'il peut faire autrement. C'est un être attentif, vertueux, à cheval sur un tas de principes d'honneur, de droit, de devoir, etc. Parfois, il peut être agaçant à force de se couper les moustaches en quatre. Il a si peur de faire une erreur et de la payer cher qu'il hésite et calcule précautionneusement son approche : on a en effet souvent l'impression qu'il aborde le présent et l'avenir avec la mémoire tenace des difficultés passées.

Prévoyant et sage, le Lièvre/Vierge réussit sans tapage et sait se faire apprécier de son entourage, dont il respecte la liberté. Cependant, sur le tard, il peut devenir dogmatique et ronchon, râlant des heures entières parce qu'un oiseau a fait son nid juste au-dessus de son terrier. Il fait très attention à sa santé, à son équilibre, et demeure en général à l'abri des catastrophes, car il les voit venir et trouve toujours une porte de sortie. Il est sociable, mais assez timide. Modeste quant à ses possibilités extérieures, il est très conscient, et jaloux, de ses qualités profondes : il adore les compliments, même si, en les entendant, il fait semblant de regarder ailleurs.

LIÈVRE/BALANCE

Voici une sorte de mandarin qui n'aime ni l'excès, ni les situations trop tendues, trop tranchées. Il agite précautionneusement ses oreilles, lève doucement ses pattes et les repose encore plus doucement, de peur de troubler l'ambiance ou de détruire l'harmonie, adore le raffinement, et possède un sens esthétique certain.

Lièvre mondain et sociable, il aime se trouver en compagnie d'êtres choisis avec sélectivité, pour leur élégance morale et physique. Il y évolue avec un charme infini, tout en courbes et en gestes gracieux, très occupé par un profond désir de plaire. Pour éviter une dispute il est capable de faire tout un tas de concessions. Mais il déteste qu'on cherche à le coincer, à lui faire prendre une décision sans lui laisser du temps (beaucoup de temps, car il est hésitant) pour réfléchir.

Inutile de dire qu'il est beaucoup plus âpte que les autres Lièvres à s'adapter aux difficultés : de lui, on peut vraiment dire qu'il retombe toujours sur ses pattes. Il réussit sans hâte, avec diplomatie; il peut, d'ailleurs, faire un bon diplomate, un avocat brillant, un artiste de talent... Mais il n'est pas fait pour scier du bois.

LIÈVRE  SCORPION

Il est doux, onduleux et quelque peu méphistophélique. Sociable en apparence, il utilise à merveille son charme et son amabilité. Mais dès qu'il ouvre la bouche, il grince, et cela surprend. En fait le Lièvre/Scorpion est soit un égoïste accompli, un opportuniste raffiné... Ou très mal dans sa peau. Il est fait pour rouler ses semblables et en profiter sans vergogne... Mais la notion du bien et du mal, chère à notre civilisation, le gêne aux entournures. Il voudrait bien être un Lièvre tranquille. Il y parvient, au soleil. Mais que vienne la nuit... Et bon gré mal gré, il se transforme en magicien, en sorcier, en chat noir des nuits de sabbat qui conserve, au fin fond de sa mémoire, le souvenir du temps où on le jetait sur les bûchers de l'Inquisition. C'est peut-être pour cela qu'il est inquiet... Par ailleurs, il est doté d'un charme fascinant et d'un pouvoir de conviction étonnant. Il adore surprendre son entourage par ses alternances de douceur et d'agressivité. Il est très prudent, très perspicace et intuitif : ne cherchez jamais à le tromper ou à lui faire prendre les vessies pour des lanternes. Il vous enverrait les deux au travers de la figure, avec un bon coup de griffes, en prime.

En amour, il est sincère mais il a bien du mal à se mettre à la place des autres. Chaud Lapin.

LIÈVRE/SAGITTAIRE

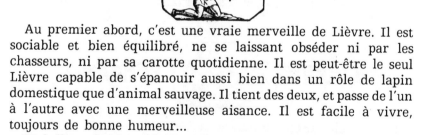

Au premier abord, c'est une vraie merveille de Lièvre. Il est sociable et bien équilibré, ne se laissant obséder ni par les chasseurs, ni par sa carotte quotidienne. Il est peut-être le seul Lièvre capable de s'épanouir aussi bien dans un rôle de lapin domestique que d'animal sauvage. Il tient des deux, et passe de l'un à l'autre avec une merveilleuse aisance. Il est facile à vivre, toujours de bonne humeur...

Mais il est plus émotif que réellement sensible, très ambitieux, et parfois égocentrique, en ce sens que sa générosité ne se manifeste que vis-à-vis de ceux qui ont le bonheur de partager totalement son point de vue. Il aime, en effet, se mettre en valeur, convaincre, persuader, entraîner... Et briller. Dès qu'il voit un podium il a envie d'y monter et de faire un discours, ou alors, s'il est timide... il en rêve.

Lièvre aventureux, audacieux, mais conformiste, et très attaché à ses principes personnels d'honneur, d'indépendance, etc., il est à la fois agaçant, par son côté dogmatique, et séduisant, par son côté spontané et chaleureux.

LIÈVRE CAPRICORNE

Si un jour, au cours d'une chasse, vous désirez rencontrer un Lièvre/Capricorne, sachez tout de suite que la chose ne sera pas facile, car sa prudence est à toute épreuve. Au moindre froissement de feuilles, à la moindre odeur étrangère portée par le vent, il se précipite au fin fond de son terrier. En déployant des ruses de Sioux, peut-être parviendrez-vous à lier connaissance. Ne vous laissez pas rebuter par son air hiératique, vaguement méprisant. Ne hurlez pas s'il vous mord lorsque vous essaierez de le caresser sans prévenir. Laissez-lui le temps de vous connaître et de vous apprécier. Méritez-le... Si vous parvenez à l'emmener chez vous, si vous l'y traitez avec respect et ne partagez pas son amitié avec celle d'un autre animal, vous aurez gagné.

Car le Lièvre-Capricorne est le plus fidèle, le plus stable des Lièvres. Il n'est guère caressant ni démonstratif, mais défend son terrier mieux qu'un chien de garde. On peut compter sur lui en toutes circonstances. En cas de catastrophe, il ne s'adapte pas, car ce n'est pas son fort, mais s'accroche héroïquement. Dans la vie matérielle, il est efficace et persévérant.

En bref, vous ne regretterez jamais d'avoir oublié votre fusil au vestiaire...

LIÈVRE VERSEAU

Cette combinaison diminue considérablement le côté égoïste des natifs du Lièvre et les amène à s'intéresser en profondeur au monde qui entoure leur petit univers personnel. Le Lièvre/Verseau restera rarement reclus dans son terrier, même si celui-ci est confortable. Il sera au contraire un peu voyageur, vagabond, entretenant des rapports amicaux avec à peu près tout le monde. Beaucoup plus doué pour l'amitié que pour l'amour, il sera capable de sacrifices tout à fait désintéressés qu'il fera sans même s'en apercevoir. D'ailleurs, il est souvent un peu absent, un peu dans la lune. C'est un Lièvre distrait.

Très créatif et complètement anti-conformiste, le Lièvre/Verseau n'arrête pas de penser, et son activité intellectuelle dépasse de loin son activité physique. Il n'a pas besoin de points de repère, et les barreaux d'une quelconque échelle de valeurs ne serviraient qu'à l'emprisonner. Il navigue à l'estime, libre comme l'air, souple et fantaisiste comme les petits vents frisottants. Ami précieux et dévoué, il ignore la jalousie. Mais c'est un amant instable. Étant donné qu'il est merveilleusement tolérant (un peu de je-m'en-foutisme aussi) et qu'il n'en demande pas plus aux autres qu'à lui-même, on le lui pardonne volontiers.

LIÈVRE/POISSONS

Ils manquent souvent du sens pratique le plus élémentaire. Sous une pluie de pétrole ils vont rêver d'eau de source. Mais plongés dans le plus délicieux des ruisseaux, ils rêveront d'avoir du pétrole pour en réchauffer la température. Ils ne sont jamais tout à fait contents. Il leur faudrait un petit quelque chose en plus...

Les Lièvres/Poissons sont des rêveurs adaptés qui peuvent se transformer en redoutables opportunistes à condition d'être vraiment motivés. Mais cela ne leur arrive pas tous les jours... Le reste du temps, ils dorment à moitié, en se faisant un cinéma terrible dans leur tête, ce qui les fatigue. Ils ne sont ni très persévérants, ni très actifs, mais ils sont adorables et affectueux. Ils ont, aussi, besoin d'une tonne par jour d'affection et de tendresse. Offrez-leur un disque qui répète toutes les dix minutes « je vous aime », et ne mégotez pas sur les démonstrations sentimentales. Votre Lièvre/Poissons sera comme un poisson dans l'eau.

DRAGON +

DRAGON BÉLIER

Il ne faut pas compter sur le Bélier pour tempérer l'excès de vitalité et d'énergie du Dragon. Accolés, au contraire, ces deux signes multiplient leur tendances positives et négatives à l'infini, car ils ont beaucoup de points communs.

Le Dragon/Bélier est un actif, un fonceur. Il est rayonnant de charme, débordant de vie et d'enthousiasme. Lorsqu'il vous donne une grande claque dans le dos en vous gratifiant d'un des sourires francs et chaleureux dont il a le secret, vous vous sentez devenir Superman. Vous êtes prêt à le suivre aveuglément à Foum-Tatahouine ou à Novossibirsk, sans changer de tenue. Vous prenez votre élan... Manque de chance, il a disparu. Le Dragon/Bélier n'est pas patient. « Tout, tout de suite » pourrait être sa devise. Si vous l'aimez, vous risquez de vous épuiser à essayer de le croiser deux fois de suite dans toute une vie. C'est un Dragon à réaction...

Il est sincère et loyal, mais pas du tout délicat, ni prévenant. Il n'a pas le temps. Il inspire souvent des sentiments très contra-dictoires : on l'adore et on le hait. On lui en veut d'être abrupt, d'ignorer les courbes. Il ne s'en rend même pas compte. Le plus court chemin d'un point à un autre, c'est la ligne droite, rien d'autre ne compte. Surtout lorsqu'en bon Dragon/Bélier, on est apte à affronter les obstacles avec le sourire.

DRAGON/TAUREAU

Le réalisme du Taureau, son côté patient, pragmatique et constructif ne peuvent être que positifs pour le Dragon. Celui-ci, avant de cracher toutes ses flammes, s'assurera du niveau de ses réserves de fuel : il fera des économies d'énergie... Le Dragon/Taureau est énergique et efficace. Lorsqu'il a choisi une voie, il se transforme en tank ultra-moderne, capable de défricher l'Amazonie, de la transformer en gazon anglais, tout en tirant des balles traçantes dans toutes les directions pour éliminer les prédateurs. Il est indomptable. Très doué pour tout ce qui est matériel, financier, le Dragon/Taureau mangera rarement à la soupe populaire. Avec un grain de sable au départ, il construira un building : il peut réaliser beaucoup en partant de très peu. Et il ne se laisse pas abattre.

Il est assez sentimental, pour un Dragon, et s'il inspire, comme tous ses congénères, des sentiments intenses, il y a quelques chances pour qu'il les partage, et pour que cela dure. En amour, il risque d'être assez expéditif et de s'agacer si on lui résiste en minaudant. Si vous aimez les hussards, allez-y sans hésiter! et si vous désirez séduire une dame Dragon/Taureau, ne passez pas plus d'une semaine à lui envoyer des fleurs. Elle a besoin de preuves plus concrètes...

DRAGON/GÉMEAUX

Ce Dragon brillant mais souvent superficiel risque de passer dans votre vie comme un météore. L'air des Gémeaux attise les flammes qu'il crache : cela donne un splendide incendie, un feu d'artifices, un feu de joie. Il peut éclairer le monde, changer la nuit

Page suivante :
*Dragon/Taureau; assez sentimental
pour un Dragon...*

en jour, l'hiver en été, pendant quelques secondes. Puis il s'éteint... C'est là le problème du Dragon/Gémeaux. Impatient et excitable, il n'a pas toujours en lui la force ni la persévérance nécessaires pour tenir toutes ses promesses. Attention : le Dragon/Gémeaux est sincère. Il ne cherche à abuser personne. Il va simplement souvent trop loin et trop vite, et se retrouve épuisé à quelques mètres du but. Il devrait travailler en association avec un Rat/Capricorne, par exemple. Il a, de temps en temps, besoin d'une bonne douche, afin que ses braises demeurent intactes et ne se consument pas en vain.

S'il apprend, très tôt, à ménager ses forces, le Dragon/Gémeaux ira loin, car il est intelligent, doué pour tout, et possède une grande rapidité d'assimilation et de jugement. Quoiqu'il en soit, on peut lui faire confiance : il trouvera bien quelqu'un pour terminer le travail à sa place...

DRAGON/CANCER

Dragon paisible et têtu. Le fait d'être né sous le signe d'eau du Cancer éteint radicalement ses crachements de flammes, et les transforme en confortable feu de cheminée, réchauffant et bien entretenu. Le Dragon/Cancer donne l'impression d'être capable de vous apporter la sécurité dont vous rêvez depuis que vous étiez en culottes courtes ou en robe de première communiante. Il est en effet très bon avec ses proches et de tempérament plutôt doux – pour un Dragon. Ce serait cependant une grossière erreur que de le croire patient, simplement parce qu'il n'explose pas toutes les dix minutes : le Dragon/Cancer, c'est un volcan en sommeil. Il peut dormir longtemps, en faisant de louables efforts pour ne pas s'énerver. Mais poussé à bout, c'est le Vésuve. Alors, ne le titillez pas, à moins d'avoir vraiment un faible pour les ruines de Pompéï.

Le Dragon/Cancer a énormément d'imagination et il invente facilement des solutions originales. Autoritaire avec habileté, il peut réussir dans les métiers le mettant en contact avec un public, y compris dans la politique. Mais le plus important, ce sera quand même sa famille. Il la préservera comme un trésor.

DRAGON/LION

Le moins qu'on puisse dire, c'est qu'il n'a rien d'une mauviette. Qu'il soit homme ou femme, le Dragon/Lion est fait pour gouverner, à n'importe quelle échelle. Il est brillant, sympathique, un peu égoïste et adore être adulé, admiré, encensé. Il a tendance à ne remarquer les gens que lorsqu'ils lui font un compliment... Le Dragon/Lion est sensible aux apparences, à l'élégance. Homme, il choisira une femme qui puisse lui faire honneur. Femme, elle n'épousera pas n'importe qui – et cherchera en plus à réussir par elle-même.

L'intelligence du Dragon/Lion est plus lumineuse qu'analytique. C'est avec lui qu'il convient de se souvenir que « tout ce qui brille n'est pas or »... Si vous lui demandez de manifester des sentiments profonds, vous risquez d'être déçu. En revanche, vous ne vous ennuierez pas avec lui. C'est un être distrayant, plein de vitalité et d'énergie, toujours plein d'idées exaltantes. Il déteste les tâches routinières et ne dédaigne pas l'ostentation. Il aime surprendre autant que plaire.

DRAGON/VIERGE

Dragon précis. Quand il crache des flammes, cela tient du laser : il a repéré son objectif et ne risque pas de le manquer. Efficace, il a une excellente maîtrise de son énergie et utilise au maximum toutes ses possibilités. Ses dehors discrets sont trompeurs : il est ambitieux et ne néglige rien pour réussir, mais il n'écrase ou ne pulvérise ses ennemis que par temps de brouillard, quand on ne le voit pas... Et seulement quand le résultat est très, très important à ses yeux, car il ne se montre menteur ou arriviste que par nécessité.

Le Dragon/Vierge est serviable, mais sans faire litière de sa personnalité. Il a en général un but clairement perçu, et lui donne la priorité sur sa vie sentimentale. Si vous avez besoin, en permanence, de petites marques de tendresse, évitez-le. Si vous êtes indépendant, de même. Il a en effet un peu tendance à tout régenter suivant ses principes, qui sont extrêmement précis et peu sujets aux fluctuations. Il ne sait ni arrondir les angles, ni s'attendrir, ni bêtifier.

DRAGON  BALANCE

Le Dragon/Balance brille comme un néon dans une ruelle sombre, et ceci sans tellement le faire exprès. Il est apprécié en société, reçoit à merveille, expose brillamment son point de vue, sans beaucoup écouter celui des autres. Un bon moyen : lui dire « stop, c'est à moi maintenant! » Il vous regardera, très surpris mais attentif. Il est également le plus souple de tous les Dragons. Sa délicatesse le pousse à chercher un moyen terme, au lieu de passer tout de suite aux solutions extrêmes. Assez conciliant, diplomate, il cède en apparence, pour avoir la paix... Et poursuit, en douce, avec un sourire à la fois triomphant et séraphique, son petit bonhomme de chemin.

Le Dragon/Balance agit toujours avec beaucoup d'élégance, quoiqu'il fasse. La médiocrité est peut-être une des seules choses capables de le mettre en rage. Naturellement, il adore être aimé. Par beaucoup de monde. Il est séduisant, mais ses infidélités ne vont pas toujours plus loin que les sourires et les phrases enjôleuses ou passionnées : c'est un conquérant de charme, pas un envahisseur, et il a tendance à rentrer chez lui paisiblement, dès qu'on lui a rendu les armes... En amour comme en politique.

DRAGON  SCORPION

Attention : qu'y s'y frotte s'y pique... Ce Dragon-là ressemble un peu à ces poissons tropicaux qui vous empoisonnent au plus léger contact. Prenez garde à ses écailles : caressez-le avec des gants. Et ne le contrariez pas trop ouvertement (ni d'une autre façon d'ailleurs!...) car il est venimeux quand il mord. Le Dragon/Scorpion est un individualiste, farouchement indépendant, très conscient de sa force et du rôle qu'il veut jouer sur terre. La pire insulte que vous puissiez lui faire est de lui dire « vous me rappelez quelqu'un »... Car il a pour principe de ne ressembler à personne.

Très passionné, il a de la fidélité une opinion toute relative : il supportera qu'on l'adore, bien sûr, mais entrera en éruption si on a le malheur de le considérer avec un air de propriétaire. Il a besoin d'une totale liberté sexuelle, ce qui n'est pas toujours facile à admettre...

Ce Dragon combatif a tout intérêt à dénicher un adversaire digne de lui, sinon son existence sera bien morne... S'il se bat « contre » quelque chose, il aura l'impression d'exister.

DRAGON  SAGITTAIRE

Le plus enthousiaste, le plus entreprenant, le plus aventureux des Dragons. Optimiste et sûr de lui, il comprend mal qu'on lui résiste, d'autant plus que ses ambitions sont généreuses et qu'il veut sincèrement le bonheur de son entourage. Il est seulement un rien tyrannique, a tendance à décider de tout, pour sa famille et pour ses amis. Dans les moments graves, c'est merveilleux : appelez-le et, tel Lancelot, il volera à votre secours, et fera tout pour vous tirer de la situation impossible dans laquelle vous vous êtes fourré. Il y arrivera, car il est ingénieux et possède un don véritable pour la synthèse et la simplification. Mais dans le domaine du quotidien, vous êtes en droit de le trouver pénible : il choisit tout : ce qui vous va, ce qui ne vous va pas... Et en plus, il a le culot d'avoir souvent raison!

Seul l'amour peut le conduire à prendre conscience des désirs de l'autre : en effet, le Dragon/Sagittaire est sentimental et loyal. Après avoir un peu jeté sa gourme, il deviendra un modèle de fidélité, même s'il éprouve quelques tentations : son besoin de donner le bon exemple le sauvera toujours.

DRAGON  CAPRICORNE

Le Capricorne est le signe des longues ascensions solitaires et laborieuses. C'est d'une heureuse influence sur le Dragon, qui retire de cet alliage des qualités de patience et de persévérance qu'il ne possède pas toujours. L'ambition du Dragon/Capricorne est sans limites. Le pouvoir l'intéresse, il veut l'obtenir et le garder, puis se hisser encore un peu plus haut. Il risque d'être insatiable, et tellement polarisé par le but à atteindre qu'il ne verra pas ce qui se passe autour de lui. C'est prendre un grand risque que de s'attacher à lui – à moins d'être indispensable, d'une façon quelconque, à la réalisation de ses désirs matériels, ou de son idéal.

Le Dragon/Capricorne n'en met pas plein la vue, mais il brille comme un diamant noir. Incorruptible, pur, inattaquable... Décourageant!

Si vous arrivez à gratter assez longtemps pour découvrir ses qualités profondes, vous ne serez pas déçu. Mais il vous faudra de la patience. Courage : c'est un des meilleurs, et des plus fidèles amis qui soient.

DRAGON/VERSEAU

Il est à peu près aussi indépendant, sinon plus que le Dragon/Scorpion, mais moins susceptible. Il est, au fond, tellement persuadé de son originalité, de son « irremplaçabilité », que les critiques et les remises en question d'autrui l'atteignent peu. D'ailleurs, il est « plus haut » que la moyenne des gens, sinon par la taille, du moins par l'esprit, ou par l'idéal.

La puissance intéresse le Dragon/Verseau, mais en tant « qu'expérience humaine ». Il y renonce aisément une fois qu'il l'a pratiquée.

En amour, il se passionne pour les gens, jusqu'à ce qu'il ait l'impression d'en avoir fait le tour. C'est pourquoi il fait souffrir, souvent sans le vouloir. C'est un Dragon volant : on ne saurait l'enchaîner. Intelligent, il brasse avec aisance de vastes problèmes, mais se montre peu doué pour les œuvres de routine. A vrai dire, il n'est pas toujours très réaliste... Il a besoin d'exécutants habiles pour réaliser tous ses projets. Je me demande s'il sait ce qu'est une facture...

Grimpez donc sur le dos de ce Dragon céleste : vous découvrirez un monde nouveau. Mais emportez des sandwiches...

DRAGON/POISSONS

La sensibilité, l'imagination, la créativité des Poissons sont dynamisées, éclairées par la chaleur qui se dégage du Dragon. Cet alliage est très positif et donne naissance à des individus débrouillards, pleins d'idées surprenantes, et capables d'en faire quelque chose d'utile, ce qui ne gâte rien.

Le Dragon/Poissons a beaucoup de charme, et il sait s'en servir. Il mériterait, peut-être, l'oscar de la déclaration amoureuse : à la fois entreprenant, hardi, romantique, compréhensif... Comment lui résister? Il est un peu volage, car il a besoin de se prouver qu'il est séduisant. Heureusement, il n'aime pas faire de peine. Malheureusement, lorsqu'il fait souffrir, il ne s'en rend pas compte...

Très artiste, le Dragon/Poissons se disperse souvent, tant ses dons sont divers. Mettez-le sur les rails, et en moins de temps qu'il n'en faut pour le dire, il caracolera le long de la voie lactée... Attention : il ne fera jamais rien de banal. Ce sera tout, ou rien.

SERPENT +

 **SERPENT**  **BÉLIER**

Voici une personnalité très contradictoire, car même avec le plus moderne des mixers, on ne saurait mélanger le côté « partisan du moindre effort » du Serpent avec l'amour de l'action pour l'action spécifique du Bélier. Le natif marqué par cette combinaison risque d'avoir un comportement surprenant et des réveils brutaux. Il ne faut pas lui marcher sur les écailles. Il tient en effet jalousement à son indépendance. Il vit à son rythme (c'est un euphémisme...) mais se montre charmant si on lui laisse, matériellement et affectivement, la « bride sur le cou ». Dans ce cas, il revient toujours à la maison. Mais si on l'embête, il s'en va. Autant le savoir à l'avance...

Le Serpent/Bélier pense souvent plus qu'il n'agit mais il est très créatif. Il peut devenir un artiste de talent, mais matériellement il a un peu tendance à attendre que la chance arrive et que son escarcelle se remplisse toute seule, par l'opération du Saint-Esprit. Il n'est pas très persévérant et change de voie lorsqu'il a l'impression que c'est une voie de garage. De tous les Serpents, c'est peut-être le moins porté sur la difficulté, le plus sainement et aimablement égoïste... Et le plus franc.

SERPENT  **TAUREAU**

Charmant et pantouflard, ce Serpent-là adore se chauffer au soleil. Sa digestion est lente. Il n'est pas spécialement actif et n'aime guère qu'on le secoue, n'ayant pas son pareil pour répondre en bâillant « y a pas le feu »... Il a toujours le temps. On le croit béat, indifférent... Attention! Le Serpent/Taureau est réaliste et très lucide quant à son besoin de confort. S'il s'agit de préserver ou d'améliorer celui-ci, il s'étire, se dresse, et son avance est aussi naturelle, imparable, que celle de la marée montante.

Le cuir du Serpent/Taureau est solide, sa personnalité résistante, mais il est matérialiste, possessif et peut perdre le sommeil à l'idée que ses actions baissent. Une dévaluation monétaire, et le voilà qui frôle la dépression...

Dans l'intimité, c'est un être agréable et affectueux, plutôt fidèle pour un Serpent... Et épouvantablement jaloux, jaloux à faire verdir Othello. Le coup d'œil le plus innocent, le plus bénin, jeté par son conjoint vers autrui le rend malade. Attention : il mettra peut-être dix ans à réagir, mais dans ce cas il prendra « la grosse colère » et rien ne pourra l'arrêter. Il chargera comme un éléphant furieux. Si vous voulez tromper un Serpent/Taureau, cachez-vous avec soin, ou achetez une armure.

SERPENT/GÉMEAUX

Serpent-minute! il est plutôt remuant pour un Serpent, mais sa morsure n'est pas mortelle. Il n'est pas méchant, et lorsqu'il chagrine quelqu'un, c'est toujours pour des raisons affectives : en effet, on ne peut le tenir. Il est volage, indiscipliné, tellement sinueux qu'il est délicat de savoir où il commence et où il finit. C'est le cas de dire qu'il glisse entre les doigts...

Le Serpent/Gémeaux est difficile à vivre sur le plan affectif mais sa compagnie est très enrichissante. Il est intelligent, intuitif, brillant, manie les idées comme prestidigitateur, joue avec ses accessoires. Il est capable de vendre des réfrigérateurs aux Esquimos et des manteaux de fourrure aux habitants de la Terre de Feu. Rien n'est impossible pour lui : il aime tant convaincre, persuader, séduire... C'est, bien sûr, pour cela qu'il fascine et entortille les petits chaperons rouges égarés.

Inutile de préciser que le Serpent/Gémeaux n'a qu'à choisir : toutes les voies lui sont ouvertes, en particulier celles qui nécessitent habileté, diplomatie, éloquence... Toutes, sauf le travail dans une mine de charbon et la profession de docker, car physiquement, c'est une petite nature.

SERPENT/CANCER

Ce Serpent est sensible, susceptible et quelque peu égocentrique : il se prend facilement pour le centre du monde et peut rester longtemps à somnoler, enroulé sur lui-même. A vrai dire il n'y a pas plus paresseux qu'un Serpent/Cancer. Il ressent un plaisir profond à ne rien faire, et il s'étire nonchalamment, savourant son bien-être et contemplant le temps qui passe. Ne le brusquez pas! il devient méchant si on le dérange, ou se referme comme une huître, sur vos doigts, bien sûr. Il a en revanche beaucoup d'imagination, une intuition remarquable, et il est compréhensif. Le Serpent/Cancer agit par crises – dans ce cas il est fort efficace, car tenace, opportuniste, il mûrit ses projets très longtemps à l'avance. Ensuite, il se rendort. Il n'est guère fait pour le labeur solitaire et contraignant, mais en fin de compte, il abat pas mal de besogne sans avoir l'air de se donner du mal. Cela crée parfois des jalousies autour de lui.

Très attaché à sa famille, le Serpent/Cancer est un intimiste qui s'épanouit volontiers au coin du feu, entouré de ceux qu'il aime, en écoutant avec la sérénité qui le caractérise la tempête qui fait rage au-dehors. Ne vous faites pas de soucis pour son avenir : il ne manquera jamais de rien. S'il n'est pas motivé pour agir, il se fera entretenir avec joie!

SERPENT/LION

C'est un bel alliage, car l'énergie conquérante du Lion a une influence dynamisante sur le côté contemplatif du Serpent; d'autre part, l'intelligence et la lucidité de ce dernier diminuent les défauts du Lion (autorité, tendance à se prendre au sérieux, etc.) Le Serpent/Lion est de bon conseil. Il réfléchit avant d'agir mais ne se laisse pas décourager par les obstacles. Il a beaucoup de volonté et de courage, il est équilibré et adaptable.

Attention : on peut le croire discret et modeste, car il n'extériorise pas son besoin de puissance. Mais il n'en a pas moins besoin d'être au premier plan, et adore qu'on l'écoute avec de grands yeux admiratifs. C'est son point faible... Ça le rassure, car il n'est pas très sûr de lui, au fond. Il aime qu'on l'aime.

Ambitieux, le Serpent/Lion déteste se priver, et en général il gagne assez d'argent pour satisfaire ses désirs. Il se sent bien dans le luxe, et il est capable de le créer. La chance est souvent avec lui, car les journées d'Août sont chaudes, et il est bon pour le Serpent de naître par beau temps.

SERPENT/VIERGE

Ces deux signes brillent par leur sens de l'organisation. C'est dire que le Serpent/Vierge sait très bien où il va, et il ne va pas n'importe où. Il est tellement sage que cela peut en devenir agaçant, car il a presque toujours raison. Heureusement, il a du charme, comme tous les Serpents. Il est sécurisant, car fidèle à son mode de vie, à ses entreprises et ses engagements.

Le Serpent/Vierge est souvent un cérébral. Il réfléchit beaucoup, fait preuve de lucidité et n'a pas son pareil pour éviter les pièges. C'est à se demander s'il fait des bêtises... Sûrement. Qui n'en fait pas? Mais lui, il s'arrange pour que cela ne se voie pas. Il ne montre de lui que ce qu'il veut bien. Toujours élégant, tiré à quatre épingles, il ne dit jamais de gros mots en public. Il vous fera toujours honneur : ce n'est pas un gaffeur. Mais il est, au fond, nerveux, anxieux. L'équilibre sexuel a pour lui une grande importance. Déçu ou trompé, il devient hargneux, vindicatif, répétitif, et fait preuve d'un sens critique aussi virulent qu'il semblait tolérant au départ.

Serpent/Balance :
quel charme,
quel raffinement!

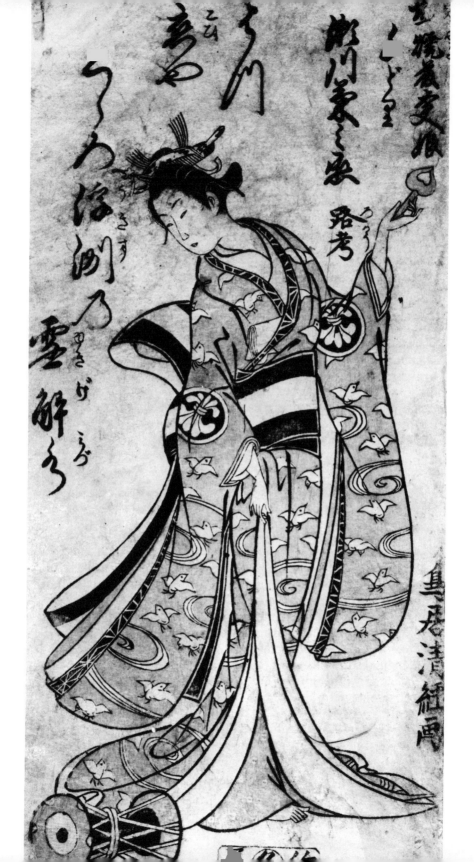

SERPENT/BALANCE

Si vous avez déjà rencontré un Serpent/Balance et su résister à son charme, prévenez-moi. Vous méritez une médaille, et d'ailleurs je suppose que vous êtes conscient de votre exploit. En effet ce Serpent-là est irrésistiblement séduisant, il adore plaire et possède plus d'une corde à son arc de Cupidon, bien sûr. La tactique du peloton de cavalerie n'est pas son fort; d'ailleurs, il la méprise. Lui, il séduit en souplesse, sans avoir l'air d'y toucher. Devant lui, on reste fasciné...

Infiniment sensible à l'harmonie, raffiné, esthète, le Serpent/Balance n'est pas combatif, et il a besoin parfois d'être un peu secoué, sinon il s'enlise dans une délicate rêverie. Il est incertain, hésitant, un peu velléitaire. C'est en faisant appel à son sens de la justice, à son amour de la paix – au sens le plus noble du terme – qu'on le motive le mieux. Apôtre de la non-violence, il sera capable d'une activité inlassable s'il s'agit de préserver « une certaine qualité de vie ». Attention : le Serpent/Balance ne badine pas avec l'honneur.

SERPENT  SCORPION

La conjugaison de ces deux animaux venimeux semble redoutable, et l'on peut hésiter avant d'y mettre la main. Heureusement, le Serpent/Scorpion est d'une agressivité modérée, et retourne surtout celle-ci contre lui-même. Il ne mord ou ne pique que si l'on fait preuve à son égard de méchanceté gratuite, et se montre somme toute plutôt tolérant, car son extrême perspicacité lui permet de comprendre les motivations d'autrui. C'est un fin psychologue, qui passerait volontiers ses soirées à décortiquer son entourage, à philosopher ou à faire de l'introspection.

Tourmenté et anxieux, sous un abord paisible, il change souvent de peau; sa vie est rythmée par des mues successives, assorties de crises existentielles profondes. Le Serpent/Scorpion est pourvu d'une grande force intérieure et il se débrouille pour toujours parvenir à ses fins. Discrètement. Il est un peu cachottier! Rancunier comme un éléphant et possessif comme un boa, il aime être traité avec respect. Plutôt que d'attirer sa vindicte, essayez le dialogue : c'est la meilleure méthode, avec lui. Si on le met devant le fait accompli, si on blesse son amour-propre, il se transforme en distillerie de venin-longue-durée, et se renferme dans ses anneaux. Lorsque vous le croiserez, dix ans après, ne vous étonnez pas s'il vous mord...

SERPENT  *SAGITTAIRE*

Serpent dynamique. Sans avoir envie de remporter la médaille olympique de course à pied... Il rampe assez vite et atteint son but. La perspicacité, l'intuition du Serpent, son sens de l'organisation empêchent la personnalité-Sagittaire de se lancer dans des entreprises trop lointaines et de fréquenter n'importe qui. Indépendant, le Serpent/Sagittaire a aussi le bon goût de laisser à son entourage une relative liberté. Mais attention : il est un peu à cheval sur les principes et n'accepte pas que l'on jongle avec la morale : il est honnête.

Il est aussi assez autoritaire et un peu envahissant, toujours prêt à vous abreuver de conseils pour ensuite vous agonir d'injures et vous écraser de son mépris si vous avez le mauvais goût de ne pas les suivre... Le Serpent/Sagittaire déteste la contradiction et si on le prend « de front », il se bute.

Réaliste, le Serpent/Sagittaire résiste mal au doux tintement des pièces d'or. Il a un côté « chercheur de trésors » et une chance insolente. Lorsqu'il part à la découverte d'un quelconque Eldorado, vous pouvez le suivre en toute sécurité : il ne vous fera pas coucher sous les ponts. Si vous lui demandez, ensuite, de partager son trésor, c'est plus aléatoire, car sa générosité est relative : il adore faire des cadeaux mais tient à ses sous.

SERPENT  *CAPRICORNE*

C'est un animal à sang froid, qui sous des dehors paisibles maîtrise ses émotions et considère le monde avec une lucidité impressionnante. Son regard a l'acuité d'un laser : il met parfois du temps à décider d'une voie, mais quand il s'y engage, soyez sûr que c'est la bonne : un Serpent/Capricorne n'a pas le temps de se tromper. Toute sa vie lui sera à peine suffisante pour obtenir ce qu'il désire. Fait pour les sommets, persévérant, obstiné, il ne semble pas connaître le sens du mot découragement. C'est sans doute le plus résistant des serpents, mais il ne rigole pas... Encore une fois, il a autre chose à faire.

Si un Serpent/Capricorne a décidé en son for intérieur de vous séduire, inutile de prendre un billet d'avion pour Pétaouchnok ou de vous enfermer à clé chez vous, sinon aux seules fins de lui rendre la conquête plus exaltante : en effet, il ne recule pas devant la difficulté. Mais il ne se lassera pas le premier, et utilisera tous les moyens, depuis le détournement d'avion jusqu'à se transformer en rat d'hôtel, pour vous rattraper. On ne résiste pas à un Serpent/Capricorne. D'ailleurs, s'il n'est pas facile à vivre, car exigeant et individualiste, il présente d'autres qualités : il a un sens des affaires remarquable et ne change pas d'avis toutes les dix secondes. C'est assez sécurisant... En outre, il est doté d'un « humour à froid » d'une qualité rare... Un grand cru de Serpent, vraiment.

SERPENT/VERSEAU

Serpent à plumes. Il vit un peu dans les nuages, voire dans l'utopie. C'est peut-être le moins matérialiste des Serpents, et le pain quotidien n'est pas sa préoccupation dominante. En revanche, il est remarquablement intuitif, humain, disponible; il a « des antennes », et réagit avec une émotion profonde aux moindres sollicitations du monde extérieur.

Ce Serpent a l'étoffe d'un savant, d'un précurseur de génie, et il peut faire fortune dans l'occultisme ou dans les domaines relevant de l'investigation de l'esprit humain. Mais les détails quotidiens l'ennuient, et si vous l'embêtez en lui parlant de fin de mois, d'impôts sur le revenu et autres choses sans intérêt, il remontera dans sa soucoupe volante. Il faut le ménager, le laisser donner libre cours à son esprit original et créatif, mais l'aider à se canaliser, car il est un peu velléitaire.

Le Serpent/Verseau a souvent des problèmes sentimentaux car il concilie difficilement son indépendance totale avec les exigences affectives d'autrui. Bien que sensuel comme tous les Serpents, il est toujours un peu ailleurs et peut se montrer tantôt bêtement jaloux, tantôt d'une indifférence vexante. Heureusement, il est si compréhensif qu'avec lui on peut toujours trouver un terrain d'entente, à condition de ne pas chercher à le coincer.

SERPENT/POISSONS

Voilà un mélange bien sinueux, et à force de tourner en rond, de nager entre deux eaux, le Serpent/Poissons risque de finir par se mordre la queue et par vivre dans le cercle vicieux de son imagination. Il a du mal à savoir vraiment ce qu'il veut, et la multiplicité de ses dons ne lui rend pas les choix faciles. Même si cela semble dommage, il a besoin d'être un peu « mis sur des rails ». Il n'y battra jamais de record de vitesse et se perdra parfois dans la campagne... Mais parviendra toujours à faire quelque chose d'intéressant. Le Serpent/Poissons est pourvu d'une grande réceptivité et d'une remarquable finesse de perception. Souple, adaptable et opportuniste, il s'organise à merveille, sans avoir l'air d'y toucher, et se retrouve très bien dans son fouillis. Contrarié, le Serpent/Poissons devient maussade, passif et empoisonne l'atmosphère. Heureusement, il n'est pas trop susceptible, ou alors il n'écoute pas...

Affectivement, il court le risque de sombrer dans le mélo et se délecte des crimes passionnels. Il vit de grandes passions toujours fort compliquées, se pose une infinité de questions et se fait du cinéma. Dans ses vies précédentes, il a déjà vécu « Autant en emporte le vent » et tous les films de Charlot...

Au moins, il est distrayant. On ne s'ennuie pas avec lui. D'ailleurs, il faut bien toute une vie pour obtenir de lui une réponse précise à la moindre question...

CHEVAL +

CHEVAL  *BÉLIER*

Le Cheval/Bélier a en lui la force et l'énergie nécessaires pour gagner les courses, à condition que celles-ci soient courtes, et que la façon de prendre le départ compte davantage que l'endurance. En effet, cet animal fougueux n'est guère fait pour les longues distances : son enthousiasme est celui des commencements. Cependant, avec un bon jockey sur le dos, il peut aller loin.

Là surgit la principale difficulté de cette nature ardente, chaleureuse, sincère, voire un peu naïve, subjective et emportée. L'être marqué par l'influence du Cheval et du Bélier est foncièrement indépendant, mais pour être, dans la vie, réellement efficace, il a besoin d'être entraîné (dans le sens sportif du terme, car autrement ce serait plutôt lui qui entraînerait les autres...), canalisé et dirigé. Or il ne supporte pas l'idée d'être influencé. Il faut donc le faire de façon assez subtile pour qu'il ne s'en rende pas compte, ce qui n'est pas trop difficile car le Cheval-Bélier ne brille ni par la perspicacité ni par la psychologie. Son domaine, c'est l'action. En amour, il est capable d'un merveilleux dévouement, mais il n'envisage pas d'être repoussé. Il n'est pas compréhensif, mais il est bon. Affaire de nuances...

CHEVAL/TAUREAU

Au contraire de son prédécesseur, ce Cheval-là est apte à courir sur de longues distances. Capable de mouvoir de lourdes charges, il a la force d'un éléphant. Il en a aussi la rancune : si on le relègue sur une voie de garage, s'il ne peut pas utiliser à plein son énergie, réaliser ses rêves... on l'entendra se plaindre et râler pendant une bonne quinzaine d'années. Cet alliage développe considérablement l'imagination : un véritable torrent créatif coule dans les veines du Cheval/Taureau, et s'il parvient à l'extérioriser, il peut faire des choses remarquables.

Le Cheval/Taureau est sentimental, affectueux et moins égoïste que les autres Chevaux : il pense à rendre les gens heureux autour de lui; cela lui est même indispensable. Généreux mais pas tolérant, il se fatigue si l'on ne répond pas à sa passion. C'est un être qui vit dans l'intensité, surtout sur le plan affectif. Son comportement peut varier de façon surprenante suivant qu'il est, ou non, amoureux, car la fusion passionnelle est pour lui un état normal, une sorte de respiration naturelle. Inutile de dire que tout le monde ne peut pas suivre...

Le Cheval/Taureau est paisible. Ses colères sont rares – et dévastatrices. Dans ces moments-là, inutile de faire appel au raisonnement, car la souffrance peut l'aveugler. Meilleur remède : attendre qu'il se calme puis lui faire boire une tisane... Ou lui jeter un filet sur le dos pour l'immobiliser.

CHEVAL/GÉMEAUX

Le Cheval-Gémeaux est un cheval de cirque, dans le sens le plus noble du terme. En se jouant, il sautera à travers des cerceaux de feu, dansera le tango ou fera semblant d'être mort en entendant un coup de revolver à blanc. C'est un Cheval qui aime jouer, et parader, par jeu. Il ne se prend guère au sérieux, mais, comme tous les Chevaux, déteste qu'on le traite avec désinvolture.

Le Cheval/Gémeaux a l'étoffe d'un comédien, d'un orateur. Il a de l'assurance, il s'adapte à tout. Mais son drame est qu'à force de faire rire, à force de tout faire tourner « à la farce », il risque de donner de lui une fausse image et d'en devenir la victime. Lorsqu'on voit un homme en costume de clown accomplir un acte héroïque, se souvient-on mieux du héros que du clown? Le Cheval/Gémeaux est intrépide, impatient, trépidant. Il aime le grandiose, la poudre aux yeux. Il la jette par poignées, avec de grands gestes rieurs. S'il pleure, on croit qu'il joue la comédie. Ce mélancolique caché est en fait un incompris. En outre, il ne sait pas toujours ce qu'il veut, même s'il est doué pour tout. Il n'a pas intérêt à choisir une profession nécessitant de l'application et de la persévérance – mais il fera un excellent reporter sportif. L'éloquence est une de ses principales qualités. Elle l'aide à séduire, bien qu'en amour il soit un peu inconséquent et peu conscient, (non par méchanceté mais par étourderie), des sentiments d'autrui.

CHEVAL  *CANCER*

Le Cheval/Cancer a beaucoup d'imagination mais pour la mettre en pratique et l'utiliser valablement il a besoin de pâturages abondants. La sécurité a pour lui une grande importance. Autant, dans un élevage bien entretenu, il n'aura pas son pareil pour élever une brillante nichée de poulains, autant, abandonné dans la nature, il deviendra craintif et amer. C'est le plus tendre, le plus affectueux des Chevaux. Son ambition principale, c'est de réussir sa vie privée, de se consacrer, avec une énergie tenace, au bonheur de sa famille. C'est pour celle-ci qu'il gagnera des courses et franchira des obstacles, pas pour la gloire. Bien sûr, il est parfois un peu fanfaron, il aime qu'on l'admire... Mais lorsqu'un Cheval/Cancer reçoit une médaille, il y a toute sa famille dans la tribune. C'est là « son » public.

Le Cheval/Cancer a besoin de confort et c'est pour cela qu'il travaille et tire la charrue avec obstination, en pensant la plupart du temps à autre chose, d'ailleurs. Il se laisse souvent stopper par un obstacle et doute de sa puissance à le franchir. Il tourne en rond dans son corral sans oser hennir trop fort. Il a pourtant autant de possibilités de réussir que les autres Chevaux, mais il est trop sensible pour écraser sans remords les sabots de ses congénères.

CHEVAL  *LION*

Champion toutes catégories de la course d'obstacles. Rien ne l'arrête, et d'ailleurs, il aime ça. C'est le piment de sa vie. Dès qu'il est capable de se mettre sur ses jambes, il se prépare aux Jeux

Olympiques. Les petites compétitions provinciales ne sont pas son fort : lui, ce qu'il veut, avec toute son énergie, c'est gagner.

Le Cheval/Lion déteste l'immobilité, les retards. Il piaffe, et si on l'empêche d'aller à son allure favorite (le galop, bien sûr) il donne une bonne ruade. Même lorsqu'il est remarquablement lucide et intelligent, le Cheval/Lion a du mal à modérer son ambition. Il est poussé par une soif insatiable de records. Il ne supporte pas l'échec. Son idéal personnel ne lui laisse aucun repos. Il est orgueilleux, autoritaire et a une crainte dramatique de l'échec.

Le principal défaut du Cheval/Lion est l'égoïsme. Il ne pense guère aux autres, et même lorsqu'il est passionnément épris, il comprend mal les pudeurs, les hésitations et les scrupules d'autrui. Inutile d'espérer : il ne se mettra jamais à votre place, ou alors, vous en ressortirez transformé en carpette... Et il ne s'en sera même pas rendu compte. Sa grande qualité est le courage. Inemployé, il étouffe. Croyez en lui... Cela lui donnera une bouffée d'oxygène.

CHEVAL/VIERGE

« Le p'tit ch'val dans le mauvais temps, qu'il avait donc du coura-a-ge » chantait Brassens. Il pensait sûrement à un Cheval/Vierge. En effet, il faut bien l'appui d'un signe de Terre aux personnes nées dans une année de Cheval, pour ne pas faire feu des quatre sabots, dans le désordre. Le Cheval/Vierge est équilibré. Il est raisonnable et honnête, ne s'écarte pas des sentiers battus et atteint son but à force de travail. Moins brillant que les autres Chevaux, il a des chances d'obtenir une réussite plus solide, car la gloire ne lui tourne pas la tête. Puis, il est très débrouillard et trouve à tout des solutions pratiques. Cet alliage est également favorable aux natifs de la Vierge car il leur donne ce qui leur manque le plus : la confiance et l'enthousiasme. Les virginiens nés dans une année du Cheval sont sociables, doués pour les contacts, persuasifs. Cette facilité naturelle, jointe à leur sens du devoir, peut faire merveille sur le plan professionnel.

Affectivement, le Cheval/Vierge est très attaché à son foyer, mais sous des dehors timides, c'est un autoritaire qui a des principes et aime qu'on les suive. Ses règles de vie sont strictes et, encore une fois, comme tous les Chevaux, il est très surpris lorsque ceux qu'il aime ont l'idée, ô combien bizarre, « d'exister par eux-mêmes ».

CHEVAL  BALANCE

C'est un Cheval élégant et raffiné, à la robe lustrée, à la crinière bien peignée. Lorsqu'il sort de sa stalle, aucun bout de paille ne vient gâcher sa belle ordonnance. Son allure préférée, c'est le trot élastique et harmonieux, ni trop vite, ni trop lentement. L'in-

fluence du signe de la Balance aide les Chevaux à envisager le revers de la médaille et leur donne le sens des nuances, des contraires : un Cheval/Balance est plus tolérant que ses congénères; la seule chose qu'il ne supporte pas, c'est la faute de goût.

Le Cheval/Balance sait s'exprimer et il défend avec chaleur son idéal de justice et d'harmonie. Mais il est un peu abstrait et parle plus qu'il n'agit. Il laisse cela à d'autres, et il a bien raison : avant d'entraîner, il faut convaincre, et c'est là son job. Le Cheval/Balance peut faire beaucoup de choses car il s'adapte facilement. Il est agréable en société et dans l'intimité car il cherche toujours un point d'entente, quitte à céder – en apparence – sur quelques points secondaires. Il n'ira cependant jamais jusqu'à se sacrifier. De même, s'il vous aime, il sera faible mais ne se laissera manipuler que jusqu'à une certaine limite, qui est bien précise dans sa tête. Il ne se laisse pas seller par le premier venu...

Cheval/Balance :
élégant et raffiné.

CHEVAL  *SCORPION*

Ce Cheval lucide et méfiant se laisse difficilement apprivoiser, et nul doute que s'il vous laisse le monter sans ruer des quatre fers, c'est qu'il y trouve une utilité quelconque. Farouchement indépendant, hyper-sensible, passionné et vindicatif, il a essentiellement besoin de liberté. C'est le cas de dire qu'il faut lui laisser la bride sur le cou... Ambitieux, intéressé, il est parfois même arriviste. C'est lui qui, dans une course, distribuera au départ, et sans remords, quelques coups de sabots bien dirigés pour éliminer ses concurrents...

En revanche, le Cheval/Scorpion se distingue de ses congénères par sa perspicacité. Peu étouffé par les principes, il n'en écrase pas son entourage, et lorsqu'on respecte son indépendance, il est agréable à vivre et très compréhensif pour un Cheval. Le hic, c'est qu'il ne sait se défendre contre la passion. Souvent d'une sensualité effrénée, il se jette dans la conquête avec l'avidité d'un bourdon dans les fleurs. Si l'on cherche à lui échapper avant qu'il soit lassé, ou si on lui résiste sans raison valable, il se transforme en Cheval sauvage. Si vous vous sentez la force d'un champion de rodéo, allez-y, et bon courage. Si vous tenez dessus plus d'une minute, vous avez gagné.

CHEVAL  *SAGITTAIRE*

Cheval de concours. Il ne manque pas de souffle et aime profondément courir. Le problème, c'est qu'à l'inverse du Cheval/Lion il ne court pas spécialement pour gagner, mais simplement pour l'ivresse de sentir chanter à ses oreilles le vent de la liberté. Important : il faut, absolument, un but au Cheval/Sagittaire. Un but spirituel, matériel ou affectif, mais un but. Sinon, il courra joyeusement, indéfiniment, sans jamais prendre le temps de s'arrêter nulle part, totalement inconscient de ses responsabilités, de la beauté du paysage et des six gosses qu'il a laissés à l'écurie. Seule comptera l'ivresse, et encore l'ivresse... Si le Cheval/Sagittaire est motivé par un idéal, s'il sait où il va, ne vous faites pas de souci : il y arrivera. Il fera les choses bien, car il a le sens de l'honneur et ne manque pas de panache. Naturellement, une fois arrivé, il racontera son succès pendant vingt ans, car il n'a pas le triomphe modeste... C'est le genre à accomplir un exploit sans précédent, puis à passer le reste de sa vie à faire des conférences.

Affectivement, le Cheval/Sagittaire est généreux : il essaye louablement de comprendre son entourage. Mais attention : il ne rigole pas avec les valeurs familiales. Il y a des choses qui se font et des choses qui ne se font pas. Là.

CHEVAL/CAPRICORNE

Ce Cheval noble et sans artifices est le plus vertueux, le plus lucidement courageux, le plus persévérant. En général, il lui faut un certain temps pour trouver sa voie, mais une fois décidé, il y consacre toutes ses forces et ne dévie pas d'un pouce. Bien sûr, il n'est ni très chaleureux ni très démonstratif, et pour lui le travail, ou plus exactement le résultat du travail compte plus que les anniversaires de sa femme et de ses enfants. Dans les moments graves il est capable de beaucoup d'affection, mais il y a dans sa tête une hiérarchie très nette des obligations : le nécessaire prévaut sur le superflu. Il a besoin d'une stabilité familiale et lorsqu'il l'a obtenue il la remet rarement en question. Il est secrètement passionné et a de l'humour – quand il le faut.

Le Cheval/Capricorne peut rebuter son entourage par sa rigueur, son exigence. Il déteste la faiblesse et n'admet pas les compromissions. Il a une âme de justicier solitaire. Et s'il a besoin, comme tous les chevaux, d'espérer pour entreprendre, il est capable de persévérer en se passant de réussite. Il voit si loin... Il est du genre à rencontrer une gloire posthume.

CHEVAL  VERSEAU

L'être marqué par cette combinaison est un curieux mélange d'égoïsme et de générosité. Tout dépend, en somme, du genre de relation qu'on a avec lui. Le Cheval/Verseau est intuitif mais instable, et son imagination, qu'il a du mal à canaliser, l'entraîne volontiers à négliger complètement le présent, au profit d'un lointain vague et nébuleux. Si vous avez un enfant Cheval/Verseau, répétez-lui toutes les heures quelques vieux proverbes du style : « Un tiens vaut mieux que deux tu l'auras ». Si vous vous y prenez assez tôt, il comprendra peut-être avant sa mort. Tentez votre chance...

Au fond de lui, le Cheval/Verseau sait où il va, mais il ne sait comment l'exprimer, ce qui explique que son idéal soit mal perçu de son entourage. Si l'on cherche à le freiner, il devient nerveux et irritable. Le mettre en face de ses responsabilités peut être un bon moyen, car il a le sens du devoir et possède une haute moralité.

Le Cheval/Verseau est compréhensif, dévoué, adorable, tant qu'on ne lui demande pas de s'engager personnellement. Autrement, il est d'un égoïsme, d'une insensibilité et d'un détachement incroyables. Il sera peut-être malheureux de vous voir souffrir, mais ne le montrera jamais. En fait il est très délicat de l'obliger à vivre au niveau du quotidien.

CHEVAL/POISSONS

En général, les chevaux dorment debout, c'est bien connu. Quant aux natifs des Poissons, ils sont particulièrement aptes à la rêverie. Résultat : le Cheval/Poissons est très doué pour se laisser couler au gré des courants sans tellement s'en rendre compte. Très influençable, sentimental et même un peu naïf, il aime l'idée du sacrifice, se prend volontiers pour un héros, mais ne sait plus tellement où commence le rêve et où finit la réalité : il est capable de vivre intensément les deux, en les confondant allègrement.

Romantique mais attaché à sa sécurité, le Cheval/Poissons est à la fois disponible et intéressé. Charmant avec ses amis, il conserve toujours, au fin fond de son inconscient, l'idée de ce qu'il pourra en tirer. Faisant preuve, en toutes circonstances, d'un opportunisme assez remarquable, il ne calcule pas. En vérité, c'est naturel, chez lui. Si vous lui dites que vous le trouvez avide, il vous sautera à la gorge en vous citant pêle-même trente-six bonnes œuvres dans lesquelles on le connaît par son petit nom. Vous ne saurez jamais s'il en est le bienfaiteur ou le bénéficiaire... Toujours profondément sincère, sur le moment, il s'adapte sans cesse à de nouvelles vérités. Mais il est séduisant et charmant. A vous de choisir...

CHÈVRE +

CHÈVRE  BÉLIER

Les natifs du Bélier sont des impulsifs indépendants qui aiment « choquer » leur entourage rien que pour s'amuser. Les « Chèvres » sont dépendants mais excentriques. L'être marqué par ces deux signes risque donc d'être provocant, instable, agissant sous l'influence d'enthousiasmes successifs. Il a besoin d'être guidé, sans excès; en fait, il lui faudrait, pour s'ébattre, un parc spacieux, cerné de murs bien dissimulés par les arbres : sécurité totale avec une impression de liberté, voilà l'idéal. Autrement, un Chèvre/Bélier trop livré à lui-même risque de faire pas mal de petites bêtises, de gambader sur les plates-bandes d'autrui, d'écraser joyeusement quelques susceptibilités, et de lasser les bonnes volontés par son manque de persévérance et de sens des responsabilités.

Le Chèvre/Bélier est sociable et optimiste (certains qualifieront cela d'inconscience...). Il a besoin d'évoluer dans un milieu décontracté, parmi des gens ne se posant pas de questions inutiles, et de pouvoir donner libre cours à sa fantaisie. Moyennant quoi il est charmant. En fait il est doué pour des métiers artistiques mais actifs : radio, télévision, par exemple. Il peut faire un excellent « interviewer ». Commenter les risques, ou en faire une chanson, lui va mieux que les courir.

CHÈVRE  TAUREAU

Cet alliage du plus stable des signes de terre et du « nuage » est positif, car il contribue pas mal à ramener sur terre les sabots vagabonds de la Chèvre. En revanche, la lenteur ruminante du

Taureau n'aidera pas la Chèvre à devenir combative et décidée. Le Chèvre/Taureau est calme, intuitif, artiste dans le sens concret du terme : il a besoin de toucher pour ressentir. Il travaille paisiblement, et en aucun cas ne se laissera impressionner par des détails absurdes come les délais de finition. Si vous l'agacez trop en lui disant que vous avez besoin qu'il termine de sculpter ce meuble avant le 15, il vous plantera là en souriant, avec une armoire sans portes sur les bras.

Cet être un peu rêveur déteste les changements brusques, les atmosphères de violence et les conflits. Son bonheur, ce serait une existence bucolique avec tout ce qu'il désire à portée de la main. Sinon il risque de bailler et de choisir la satisfaction la plus accessible pour ne pas se donner trop de mal. Le Chèvre/Taureau est affectueux, un peu timide en société, mais amusant en petit comité.

Sa plasticité rend le Chèvre/Taureau capable de réussir, à condition qu'on lui prépare un canevas d'action.

CHÈVRE/GÉMEAUX

Naturellement, l'influence des Gémeaux amplifie certains défauts de la Chèvre : instabilité, irresponsabilité, caprice, etc. Mais développe ses capacités mentales. Le Chèvre/Gémeaux est un véritable chef-d'œuvre de fantaisie et d'humour. Ses dons d'amuseur, de conteur sont certains; d'ailleurs, pour peu qu'il se sente en confiance, il devient bavard comme une pie, n'hésitant pas à sauter du coq à l'âne et à effectuer, entre des sujets contradictoires, les rapprochements les plus inattendus. Verbalement, rien ne lui est impossible, mais ses raisonnements sont parfois un peu « tirés par les cheveux ».

Le Chèvre/Gémeaux a un don remarquable pour l'imitation. A l'aise dans tous les rôles, adorant changer de costume, il peut faire un excellent clown, et de toute façon un parfait comédien. Inutile de préciser que cet individu fantasque n'est pas fait pour la bureaucratie. S'il ne peut devenir chansonnier, il fera un bon

Chèvre/Gémeaux : bavard comme une pie.

commerçant, à condition d'être, matériellement ou affectivement, associé à un, ou une, expert-comptable. Car la gestion n'est pas son fort... Il n'est pas fait non plus pour défendre des idées dans une assemblée. Il écoute trop les autres et se laisse influencer par le dernier qui a parlé, tout simplement parce qu'il est très disponible et peu sûr de lui.

CHÈVRE  *CANCER*

Mélangé au signe de la Chèvre, celui du Cancer voit beaucoup de ses tendances profondes s'amplifier – avec une prédilection pour ses ambivalences. Le Cancer né pendant une année de la Chèvre est particulièrement tiraillé entre son besoin de sécurité et son attirance pour la fantaisie. Il n'arrive que très difficilement à concilier les deux, et se sent excessivement malheureux s'il manque de l'un ou de l'autre. Souvent insatisfait ou romantiquement mélancolique, il a un comportement imprévisible qui varie d'une instabilité choquante à une ténacité étonnante. Cela dépend davantage de son humeur que des circonstances...

Le Cancer est dépendant de ses affections; la Chèvre est dépendante tout court. L'être marqué par cet amalgame se débrouille mal et perd beaucoup de temps s'il n'a pas à ses côtés une personne aimante et patiente, capable de le sécuriser mais aussi de le bousculer un peu de temps en temps. Une fois engagé dans une voie qui lui plaît, le Chèvre/Cancer ira son petit bonhomme de chemin et l'agrémentera de quelques refrains originaux. Mais ce qui est tragique, chez lui, c'est la difficulté à démarrer. Il est capable, cinq minutes après un départ important, de s'asseoir par terre et de rêver à l'arrivée. Il faudrait l'aiguillonner sans cesse... Et ce n'est pas évident, car il est attendrissant, et se croit vraiment tellement, tellement fatigué...

CHÈVRE  *LION*

Attention, cette Chèvre-là est dotée de pouvoirs particuliers. Elle a des cornes d'or... Avec le dynamisme du Lion pour la soutenir, elle peut devenir brillante, caracolante, et se satisfaire d'un succès obtenu grâce à un mélange subtil d'audace naïve, d'opportunisme et d'habileté à se mettre en valeur. Tout ce qu'elle fait a l'air facile; pourtant, c'est souvent le résultat d'un travail acharné. La personne marquée à la fois par ces deux signes aime la réussite. Elle est beaucoup moins dépendante que les autres Chèvres mais sait à merveille utiliser les appuis et se servir des généreux mécènes. Ici, les intérêts et le sentiment sont dissociés afin d'obtenir un maximum d'efficacité.

La Chèvre née sous le signe du Lion est réellement la plus apte à se débrouiller seule, avec juste quelques tremplins passagers. Mais sa susceptibilité parfois maladive (dûe au fond à un manque de confiance en soi) la conduit à souvent réagir par orgueil blessé, et à fanfaronner. Elle est pourtant plus vulnérable qu'elle ne le paraît, et a besoin d'un équilibre familial; sinon, à force de courir après le succès, elle se retrouvera épuisée, et seule.

CHÈVRE/VIERGE

L'influence du signe de la Vierge diminue considérablement le côté instable et un peu excentrique de la Chèvre mais accentue ses tendances à l'incertitude et à l'hésitation. La « Chèvre/Vierge » est souvent une personne inquiète, nerveuse, voire un peu fébrile, lorsqu'elle doit prendre une décision rapide, et sa confiance en ses capacités est assez limitée. De capricieuse elle devient timide et au lieu de caracoler, elle avance à pas comptés, craignant les peaux de bananes et autres pièges dans lesquels tomberaient les impulsifs.

Une grande habileté se dégage de ce mélange. La Chèvre/Vierge est adroite : elle fait n'importe quoi de ses mains, à condition que ce soit un travail qui lui plaise, et qui comporte un petit quelque chose d'esthétique. Elle est d'ailleurs fort consciencieuse et attentionnée, pour une Chèvre.

Les plus grandes difficultés de la Chèvre/Vierge seront affectives. Il y a en elle quelque chose de naïf, de romantique, qui se transforme aisément en une méfiance injustifiée au moindre grain de sable dans l'engrenage de ses hiérarchies personnelles. Difficile à séduire, elle ferait bien d'éviter, autant que possible, les ruptures et les situations conflictuelles.

CHÈVRE/BALANCE

Le problème de la Chèvre/Balance est avant tout de trouver son équilibre. En effet, son extrême sensibilité au milieu, son côté « harmonie à tout prix » ne lui facilite pas son insertion sociale, même si par ailleurs elle est agréable, policée, avec juste le petit grain de fantaisie qu'il faut pour que l'on se dise, en la voyant : « quelle personne charmante, bien élevée et pas ennuyeuse! »

La Chèvre/Balance trouve rarement du premier coup son territoire d'élection, car son choix dépend d'une infinité de détails qui, souvent, l'empêchent de dormir. En revanche, une fois « dans son domaine » elle n'en bouge plus et s'emploie, en permanence, à le rendre de plus en plus accueillant, de plus en plus agréable. Elle manque un peu d'esprit de décision et n'est pas douée pour la compétition. Le forcing ne la concerne pas. Si elle parvient à une réussite, ce sera grâce à ses dons d'adaptation et de diplomatie. Très esthète, la Chèvre/Balance est également hyperaffectueuse, et très dépendante de ceux qu'elle aime; elle est incapable de vivre seule.

CHÈVRE/SCORPION

Les personnes nées durant une année de la Chèvre sont pacifiques et l'agressivité ne fait pas partie de leur arsenal personnel. L'influence du Scorpion ne suffira pas à leur insuffler un quelconque venin. En revanche, elles deviennent, sous cet alliage, susceptibles et défensives en diable. Tout aussi capricieuses, mais moins dépendantes que les autres Chèvres, elles ont l'air badin, mais il ne faut pas s'y fier : en général elles savent très bien ce qu'elles ne veulent pas, à défaut de savoir ce qu'elles veulent. Et si vous cherchez à les diriger, à les protéger... vous risquez de recevoir un bon coup de corne.

Les Chèvre/Scorpion sont particulièrement créatives et leur intuition est remarquable. Elles adorent les longues conversations, les confidences sur l'oreiller, et sont très passionnées dans l'intimité. Elles sont aussi fort rancunières.. La mule du pape était peut-être Chèvre/Scorpion... Toujours anxieuses, voire angoissées, elles ont besoin d'une vie stable pour ne pas se perdre en complications.

CHÈVRE/SAGITTAIRE

Cette Chèvre idéaliste est attirée par les horizons lointains et se montre volontiers vagabonde. Si elle ne peut, dans sa vie quotidienne, poser sans cesse ses regards sur de nouveaux paysages, elle remplira son appartement d'objets d'art exotiques et un peu baroques, mais aussi de divans confortables.

La Chèvre/Sagittaire est moins créative que les autres Chèvres, mais plus dynamique et surtout plus aventureuse. Elle risque même de mal mesurer les dangers qu'elle court. Indépendante dans son comportement, pourvue d'une grande liberté d'allure et d'une élégance innée, totalement dénuée de sophistication, elle demeure dépendante d'un certain nombre de préceptes moraux qui servent de base à son action.

Jeune, c'est une rebelle en puissance, un peu irresponsable, impulsive, et ses travaux manquent souvent de préparation. Plus âgée, elle se stabilise et devient plus conformiste; mais certaines Chèvre/Sagittaire peuvent continuer leur vagabondage curieux, jusqu'à leur dernier souffle. Autonome, optimiste, cette chèvre-là ne doit pas être contrainte : si on la bloque dans un pâturage, même verdoyant et gras à souhaits, elle sautera les barrières. Ne pas l'enfermer, SVP.

CHÈVRE/CAPRICORNE

Plus sérieuse et réfléchie que la plupart, cette Chèvre-là aimera l'art, comme toutes ses consœurs, mais ses créations seront marquées du label de l'authenticité. De préférence, la Chèvre/Capricorne ne s'étendra jamais sur un sujet qu'elle ne connaît pas. Ses gestations seront longues et ses accouchements souvent fastidieux. Mais en revanche, relativement sûre de son talent (je précise : relativement, car elle n'en sera jamais totalement sûre) la Chèvre/Capricorne sera intarissable.

Discrète, elle a de l'humour et se détend volontiers dans un cercle intime; mais en public elle peut sembler fière ou hostile. Elle est simplement timide. Pour être et rester de ses amis, il faut éviter de l'obliger à une vie mondaine qu'elle déteste, ne jamais lui demander de faire un travail rapidement et à l'improviste, se résigner à l'idée qu'elle manifeste peu ses sentiments (elle ne vous accepterait pas dans son entourage si elle ne vous aimait pas) et, de temps en temps, lui poser quelques bonnes questions indiscrètes, pour la secouer un peu. Après être passée par toutes les couleurs de l'arc-en-ciel, elle vous répondra la vérité, car elle est honnête... Elle est aussi assez impressionnable. Chèvre à ménager...

CHÈVRE  VERSEAU

Rien ici ne vient freiner les tendances caprines à l'excentricité et à la désinvolture. Rien non plus ne freine son altruisme... Et son détachement confinant à l'inconscience vis-à-vis des responsabilités matérielles. En outre, le goût du confort de la Chèvre/Verseau est limité : elle pourrait aussi bien vivre de sandwiches, une guitare à la main, couchant sur les bancs publics, que dans un palace. Son comportement ne changera pas d'un iota : elle se tartinera des sandwiches au caviar en louchant sur les fenêtres ouvertes. Autant le savoir : la Chèvre/Verseau n'est pas intéressée.. On ne l'attache pas à un piquet en lui promettant deux repas par jour. Elle supportera quelque temps, histoire de faire une nouvelle expérience, puis s'en ira sans remords ni regrets.

La Chèvre/Verseau est capable du meilleur et du pire : tantôt elle atteindra des sommets, tantôt elle pataugera dans l'irréalisme le plus total. Si vous voulez vivre avec elle, suivez-là. Emportez quelques provisions simples et un parapluie pour l'abriter quand il pleut, autrement elle finirait poitrinaire. Servez-lui à la fois de garde-fou, de mécène, de papa, de maman et de meilleure copine : elle ne vous quittera jamais. D'ailleurs, ce n'est pas certain qu'elle s'aperçoive de votre présence... N'oublions pas que le « nuage » qui symbolise la Chèvre, mêlé à l'air du Verseau, ne produit pas un mélange solide.

CHÈVRE/POISSONS

Sentimentale et dévouée, la Chèvre/Poissons a besoin d'être utile à son entourage, mais aussi, et plus que les autres, d'être protégée. Elle a un caractère agréable, un peu rêveur, de l'imagination et des ressources infinies de fuite devant les réalités gênantes. Artiste jusqu'au bout des sabots, elle crée comme elle respire, sans tellement penser à la valeur marchande de ses œuvres. Epaulée par quelqu'un de dynamique et de concret, elle fera merveille.

La Chèvre/Poissons n'est pas contrariante et elle déteste faire de la peine : ses parents devront prendre garde à l'influence qu'ils auront dans son choix d'une profession. En effet, elle est capable de végéter des années dans un bureau, sans oser protester ou sans en voir vraiment l'utilité, incertaine de pouvoir faire autre chose mais profondément insatisfaite.

Son subconscient est un vaste chaos cosmique et le génie y bouillonne dans la même marmite que l'inadaptation et la folie. Son conscient n'est guère plus ordonné. Comment faire un choix cohérent entre des possibilités aussi multiples? Comment savoir ce que l'on veut ou ne veut pas, qui l'on aime et qui l'on déteste, alors que toutes ces sensations sont en perpétuel mouvement? Aidez-la par votre affection mais ne cherchez pas trop à la canaliser, car attention : c'est souvent en se perdant qu'elle se trouve. Rien n'est simple...

SINGE +

SINGE  BÉLIER

Il est bon pour un Singe de naître sous le signe du Bélier, tout comme il est bon, pour ce dernier, de venir au monde dans une année du Singe. En effet, le natif du Bélier est franc (parfois trop) instinctif (parfois trop) et quelle que soit la visibilité, il a tendance à foncer, sans tenir compte du bulletin météo. Le Singe est rusé, intelligent, et ne perd jamais de vue son intérêt. Son opportunisme rendra l'action-Bélier plus efficace, et celle-ci dotera le Singe d'un vague fond d'honnêteté dont son entourage ne pourra que se féliciter...

Le Singe/Bélier est capable d'utiliser à fond les multiples ressources de ses deux animaux totémiques. Lutteur né, tantôt habile et diplomate, tantôt kamikaze, histoire d'impressionner son public, il est intensément débrouillard et peut mener de front plusieurs entreprises... Et plusieurs conversations. Il a une mémoire suffisante pour ne pas faire vingt-six fois de suite la même erreur. Il est brillant, direct, séduisant. Il a du courage et sait apprécier le danger à sa juste mesure : il y a en lui du stratège et du combattant. En somme, c'est un être remarquablement armé pour faire face à la vie et en tirer le meilleur parti possible. Il manque juste un peu de sensibilité profonde.

SINGE  TAUREAU

Ce Singe-là n'a rien d'un ouistiti. Il serait plutôt de la race des gorilles, ou des orangs-outangs. Il est lent et réfléchi, pour un Singe. Il est aussi sentimental et capable de dissimuler ses frasques avec l'aide de quelques pieux mensonges : s'il ne dit pas la vérité, c'est en général avec les meilleures intentions du monde. Cet alliage renforce considérablement le sens des affaires, dont Singe et Taureau ne sont pas dépourvus. Il renforce également la mémoire, tout en diminuant la tendance à la fantaisie et à la dispersion.

Le Singe/Taureau est sociable et bon vivant. Dès qu'il aperçoit quelque chose qui lui plaît, il a immédiatement envie de se l'approprier : c'est un possesseur-né. S'il ne parvient pas à ses fins grâce à son travail, il utilisera son habileté, quitte à faire quelques petites entorses à la bienséance... en tout cas il ne manquera de rien. Il est aussi doué pour gagner l'argent que pour le dépenser : il ne laisse pas dormir son or. Il pourrait faire un courtier ou un spéculateur génial. Possédant une intelligence pratique et constructive, il a les moyens d'approfondir ses connaissances et de les faire fructifier. Sur le plan affectif, il se trouverait bien d'épouser une héritière (ou un armateur grec, s'il s'agit d'une dame Singe/Taureau), sous peine de se sentir éternellement tiraillé entre son besoin d'aimer... et son besoin d'argent.

SINGE/GÉMEAUX

Nous avons vu à quel point il est délicat de trouver des analogies entre notre zodiaque et le zodiaque chinois. A une exception près : le Singe et les Gémeaux se ressemblent tant que l'on pourrait les confondre en prenant connaissance de leur description respective. Cet alliage représente donc le « Singe pur » (ou le Gémeaux pur). Toutes ses qualités et tous ses défauts sont amplifiés. En conséquence, il est remarquablement intelligent (si vous rencontrez dans les broussailles d'une campagne perdue un analphabète Singe/Gémeaux, emmenez-le tout de suite dans un institut spécialisé dans les tests de Q.I. : peut-être rendrez-vous un grand service à la Société!) vif d'esprit, éclectique, débrouillard, éloquent. Il est également nerveux, instable, volage, manque de persévérance et de concentration, s'éparpille souvent dans de multiples directions.

Si vous tombez amoureux d'un – ou d'une – Singe/Gémaux, essayez de supporter ses frasques : en effet ses passions ne durent guère. Et vous en serez récompensé, dans quelques années : les Singes/Gémeaux sont les vieillards les plus charmants, les plus vifs, et les plus jeunes qui soient.

SINGE/CANCER

L'activité du Singe est en règle générale essentiellement mentale. Celle du Cancer est affective. Le premier n'a guère que des émotions de surface; le second les ressent en profondeur. L'individu qui réunit en lui ces tendances contradictoires, s'il n'est pas un génie (et c'est une espèce qui se fait rare...) risque de se sentir quelque peu hybride, comme un animal tenant de deux espèces différentes...

Pour le Singe/Cancer, l'important est de parvenir à conduire sa vie plutôt que la subir, car, dans ce second cas, il deviendrait un errant, instable et souffrant de son instabilité, éternel frustré affectif, et un peu mythomane sur les bords. Dans le premier cas, en revanche, le Singe/Cancer, « adapté » a la possibilité d'utiliser les qualités des deux signes, et de réussir sa vie professionnelle sans se faire trop d'ennemis (grâce à l'influence lénifiante du Cancer) et de réussir sa vie sentimentale, car tout en étant fidèle (pour un Singe) il ne se laisse pas envahir par une sensibilité hypertrophiée et conserve juste ce qu'il faut de recul pour avoir une saine vision des choses.

Le Singe/Cancer adore les enfants. Il est leur complice et leur ami. D'ailleurs, dans un coin de sa fabuleuse mémoire, il garde toute une provision de contes de fées...

SINGE/LION

C'est un babouin sauvage, si l'on excepte de cette comparaison l'apparence physique peu flatteuse de ces derniers. Pour comprendre, faites un petit safari-photo dans une réserve africaine ou dans un zoo. Vous verrez que ces singes-là sont redoutables. Ils ont des dents longues et aiguisées, sur lesquelles ils retroussent des babines de fauve. Ils n'hésitent pas à attaquer et semblent se prendre fort au sérieux.

Le Singe/Lion de l'astrologie est comme ça. Il est déconseillé de lui tirer la crinière, et avant d'entamer une discussion avec lui, on a intérêt à préparer soigneusement ses arguments, et à réviser ses classiques. Pour l'aborder, employez la troisième personne, et prenez l'air respectueux. Naturellement, évitez de le contredire. C'est mal vu. Le Singe/Lion est un grand bonhomme, même s'il mesure un mètre 40 et pèse 30 kgs tout mouillé. Soyez sûr que s'il en a les moyens, il est cultivé, brillant, au courant de tout. Son énergie vitale égale sa vivacité d'esprit : il est à la fois la tête et les jambes. Bien sûr, il néglige un peu les détails. Il vous en confiera la gestion, d'un geste noble et hautain... De même, il confiera à quelqu'un d'autre les basses besognes. Il n'aime pas se salir les mains... Au propre et au figuré.

SINGE/VIERGE

Ici domine la nervosité. Intérieurement, le Singe/Vierge ne tient pas en place, mais il s'efforce de garder une apparence stable et un bon contrôle de lui-même. Cette lutte de chaque instant est aussi épuisante pour son équilibre que les douze travaux d'Hercule... En plus il n'est pas très résistant et tendu comme une corde à violon. En lui s'affrontent en permanence le perfectionnisme et la fantaisie, l'honnêteté la plus stricte et la ruse échevelée. Il peut avoir des réactions curieuses, se montrant tantôt prude et moralisateur, tantôt fantaisiste et provocant.

Le côté positif de cet alliage est la gentillesse. En effet, le Singe est sociable : il diminue la timidité de la Vierge et l'aide à oublier le sac à main plein de complexes qu'elle traîne depuis l'enfance. Elle se sent inférieure; le Singe se sent supérieur; cela crée un équilibre. Les qualités de dévouement de la Vierge sont donc à même de se manifester de la façon la plus utile possible. En somme, le Singe/Vierge, bien que souvent mal dans sa peau, est peut-être celui qu'il est le moins dangereux d'aimer. D'autant plus qu'il a une excellente appréciation du réel, qu'il est travailleur, habile et très lucide.

Page suivante :
Singe/Capricorne; inquiet, méfiant.

SINGE/BALANCE

Même en cherchant bien, et longtemps, il est difficile de trouver, parmi toutes les combinaisons d'Orient et d'Occident, un alliage aussi sociable que le Singe/Balance. C'est un individu ouvert, aimable et éloquent, qui ne se sent jamais aussi à son aise que dans les rôles d'intermédiaire ou de relations publiques. Les pires conflits, avec lui, trouvent une solution. Il les résout d'une pirouette, avec quelques mots aimables et une bonne dose de conciliation. On l'imagine très bien discourant sur la paix mondiale ou se baladant avec une grande banderole : « Venez à moi, j'arrangerai tout ». Et c'est vrai qu'il est doué pour arranger. Sous une apparence de légèreté et d'insouciance, il est très humain, éveillé, disponible.

Naturellement, il est incapable de vivre seul. Son idéal, c'est tout d'abord de former un couple (Balance oblige) puis de s'entourer d'un tas d'amis. Isolé, il tourne à vide.

Vous vous demandez s'il a des défauts ? Bien sûr. Mais pas des gros. En somme ce Singe-là est très vivable. Un conseil cependant : si vous n'aimez pas les bruits de fond, achetez-vous des boules Quiès. Car il n'arrête pas de parler, de tout et de rien...

SINGE/SCORPION

Comme chez le Singe/Vierge, la nervosité domine, mais ici elle est plus profonde. Le Singe/Scorpion est un angoissé permanent qui se pose des questions sur tout et sur tous. Il surprend par son attitude cynique, son côté sombre, qui soudain explose en milliers de particules de fantaisie grinçante. C'est un être intelligent, d'une lucidité à toute épreuve, qui, lorsqu'il s'implique dans une action ou dans un sentiment, a toujours l'impression de jouer une tragi-comédie dont il serait à la fois l'acteur et le spectateur.

Le Singe/Scorpion est doté d'une curiosité sans bornes, et d'une remarquable faculté d'assimilation. Tout ce qui est caché, mystérieux, compliqué, l'intéresse. Il pourrait faire un fin limier, un stratège implacable et rusé connaissant à l'avance toutes les tactiques utilisables. Dans n'importe quel gouvernement, il devrait y avoir un Singe/Scorpion pour prévoir et analyser les méthodes de l'opposition. Si vous l'aimez, un conseil : achetez un gilet pare-balles. Vous en aurez besoin pour supporter ses piques. Ce n'est pas qu'il soit vraiment méchant : simplement, il ne peut pas s'empêcher de critiquer, de décortiquer, « pour voir ». C'est chez lui une seconde nature, et plus il s'intéresse à quelqu'un, plus il l'observe à la loupe. Si vous vous sentez une vocation rentrée de cobaye, allez-y...

SINGE SAGITTAIRE

Voici un alliage excellent pour un politicien, un diplomate, ou mieux : un ambassadeur. Plus modestement, des professions telles que le commerce à grande échelle sont favorisées. Le Singe/Sagittaire a du bon sens, une lucidité tempérée par de la bonhomie, une perspicacité nuancée par l'indulgence. Qui dit mieux? En outre, il se pose moins de questions que les autres Singes et se préoccupe davantage du but à atteindre. Fort sociable, mais manquant un peu de sélectivité, il ne se sent jamais aussi bien que lorsqu'il traîne avec lui un groupe bavard et excité. Cela me donne encore une idée : orienter le Singe/Sagittaire vers le tourisme. Il n'aura pas son pareil pour trimballer derrière lui un comité d'entreprise en goguette!

Très facile à vivre, pour qui lui ressemble, il possède une indépendance forcenée et un goût prononcé pour l'action. En revanche, si vous êtes une petite chose sensible et fleur bleue, évitez-le comme la peste. Vous vous y casseriez vos dents en or. En effet, il est carrément impossible d'attacher ce Singe-là à un perchoir. Il a besoin de fenêtres ouvertes pour être heureux.

SINGE CAPRICORNE

On ne peut pas dire que les natifs du Singe soient des gens simples. Si l'on y ajoute du Capricorne, cela devient un cocktail si particulier que même en notant tous les ingrédients il serait difficile de faire deux fois le même... Si c'est le Capricorne qui l'emporte, son influence rigide risque de figer le Singe dans une sorte de fantaisie stéréotypée. Si le Singe est le plus fort, cela donne un individu inquiet, sociable avec énormément de sélectivité, excessivement observateur, méfiant et nerveux, mais également intelligent, adaptable sans rien renier de ses exigences profondes.

Son comportement peut alterner de l'immobilité glaciale à l'activité fébrile, et son attitude vis-à-vis de l'argent être fort ambiguë : tantôt il est d'une avarice sordide, tantôt il jette l'argent par les fenêtres. En fait il a un mal fou à se situer, à s'apprécier, à créer son unité. Il est en général plus équilibré dans la maturité que dans l'adolescence, car comme le vin, il bonifie en vieillissant. Il ne manque ni de courage, ni d'habileté, mais son apparence détachée, voire insensible, décourage certains. Important : avec un Singe/Capricorne, il faut aller au-delà des apparences. Un trésor est caché au fond, comme dans la fable...

SINGE/VERSEAU

Le Singe/Verseau est doté d'une remarquable ingéniosité et d'une inventivité hors-pair. Il a quelque chose du savant incompris parce que trop en avance sur son temps, de l'apprenti sorcier et de l'hypnotiseur. Enfant, c'est lui qui terrorise le quartier avec ses inventions barbares et fait régulièrement sauter des bombes miniature dans la cave de la maison familiale. Ne le brimez pas : sous sa frimousse barbouillée de suie se cache peut-être le cerveau d'un nouvel Einstein. Naturellement, le résultat avec lui est imprévisible : de ses doigts agiles il créera une fusée spatiale... Ou le fil à couper le beurre. Laissez-lui le bénéfice du doute...

Charmant, aimable, un peu distrait mais toujours prêt à écouter les confidences, le Singe/Verseau est un compagnon agréable, mais pas spécifiquement sécurisant. Il a au fond trop besoin d'être rassuré pour pouvoir rassurer quelqu'un. C'est un chercheur, mais pour être efficace, il a besoin, comme tous les chercheurs, de matériel, de crédits, et de trois repas par jour. C'est un intellectuel, pas un homme d'affaires. Comme l'enfer, il est pavé de bonnes intentions...

SINGE/POISSONS

Insaisissable, flottant de-ci de-là, glissant habilement entre les mailles des filets, voici le délicieux Singe/Poissons. Il a beaucoup de charme, il est persuasif, adaptable à un point incroyable; parachuté à la Cour d'Angleterre il semblera aussi à l'aise que dans une ferme ukrainienne ou une colonie de pingouins. Il sait, d'instinct, adopter le langage qui convient et l'attitude qu'il faut. C'est un caméléon. N'oublions pas que le Singe est un animal pourvu d'un remarquable don d'imitation : la souplesse Poissons amplifie encore cette tendance, qui devient proche du mimétisme. Parfois, d'ailleurs, le Singe/Poissons s'y perd un peu. C'est le grand spécialiste des questions sans réponses et des interrogations métaphysiques. Pour un peu, il en oublierait de manger...

Le Singe/Poissons est serviable mais il protège son univers : il déteste être enfermé. Si vous voulez le garder, achetez-lui une très jolie cage, dont vous laisserez la porte ouverte, ou mieux : un aquarium ouvrant par une trappe sur l'océan. Vous le verrez réapparaître régulièrement en frétillant des nageoires, et peut-être vous rapportera-t-il le trésor d'un galion coulé... Ou une vieille godasse. Il est tellement imprévisible...

COQ +

COQ BÉLIER

Cet alliage amplifie considérablement les qualités et les défauts du Coq, car ce signe a de nombreux points communs avec celui du Bélier.

Commençons par les qualités : Le Coq/Bélier est, avant tout, courageux. Il fait front, même dans les situations les plus désespérées. Il a quelque chose d'héroïque, le sens du geste gratuit, inutile, mais superbe. On le croirait sorti tout droit d'un film de cape et d'épée... Ensuite, il est sincère. Le mensonge, il ne connaît pas. C'est une invention trop tarabiscotée et trop mesquine pour lui. En amour, par exemple, il n'exprimera jamais des sentiments qu'il ne ressent pas profondément. Mais il est souvent déçu sur ce plan, car idéaliste et naïf, donc facile à gruger; en plus, il ne parvient pas à comprendre la dissimulation et le faux-semblant chez autrui. Car il est franc. Franc comme l'or. Et là, nous commençons à basculer dans les défauts. En effet, la franchise du Coq/Bélier est si exacerbée qu'elle devient un vrai danger, pour lui comme pour les autres. Et puis, il est absolument inconscient en ce qui concerne la sensibilité, la susceptibilité d'autrui. Il faudrait être en acier blindé pour lui résister quand il a décidé de vous sortir vos quatre vérités... Mais on lui pardonne. Il ne l'a pas fait exprès...

COQ TAUREAU

Coq stable et chaleureux. Il sait trouver un équilibre dans les bonnes choses de la vie : c'est un épicurien. En outre il ressent une satisfaction réelle à aider les gens et ne refuse jamais un service. Si vous êtes dans une situation horrible, il sera à vos côtés, vous remontera le moral et vous tiendra la main. En revanche, quand vous en serez sorti, inutile de lui demander d'accepter vos caprices. Il déteste ça. Le Coq/Taureau est un personnage courageux, énergique, mais sensible à la notion d'utilité. Il n'aime pas perdre son temps. Comme tous les Coqs, il a tendance à assener à son entourage des vérités assez indigestes, d'autant plus qu'elles sont fondées sur une longue observation et presque toujours exactes. Mais il ne cherche pas à heurter, et s'il se rend compte que c'est le cas, il ne s'excusera pas, bien sûr (il ne faudrait tout de même pas exagérer!) mais vous fera ensuite une gentillesse, pour se faire pardonner.

Le Coq/Taureau est indépendant, il aime sa liberté mais a besoin d'être admiré et apprécié. Il est secrètement sensible. Très sensuel, sociable, il aime recevoir. Il aimerait aussi avoir un harem. Il sera merveilleusement fidèle. A tout le harem.

COQ/GÉMEAUX

Ce Coq-là est un peu girouette, non pas parce qu'il change tout le temps d'opinion, mais parce qu'il est toujours prêt... à prendre le vent. Il est actif mais sur tellement de plans à la fois qu'il semble agité et en devient même fatigant. Vivre avec lui équivaut à voisiner avec un marteau-piqueur. Ça bouge sans arrêt!

Le Coq/Gémeaux, comme les scouts, est toujours prêt, à faire quelque chose de génial, ou à faire une bêtise... Enfin, à faire quelque chose. Cependant, ne vous y trompez pas : il est trépidant, mais assez constant dans ses affections. A partir du moment où on le laisse virevolter à sa guise, il reste attaché à son poulailler et ne va pas lorgner celui des voisins. Enthousiaste, il a aussi un petit côté rêveur. Il rêve de tout ce qu'il pourrait faire de passionnant... Et en général il finit pas le faire, car, au fond, il ne manque pas de bon sens. Sans avoir l'air d'y toucher, il est assez habile en affaires : il « a du nez ».

Très serviable, il est facile à vivre, car il laisse aux autres une paix royale. Et il ne demande qu'une chose : qu'on en fasse autant avec lui. Sa gentillesse est assise sur un bon fond d'égoïsme : « charité bien ordonnée commence par soi-même »...

COQ/CANCER

Pour réussir, matériellement et affectivement, le Coq/Cancer doit d'abord vaincre ses contradictions, ce qui n'est pas une petite affaire. Il est en effet particulièrement sensible, susceptible et rancunier. Les déceptions laissent souvent en lui des traces indélébiles, et pour y pallier il a besoin d'être mis en valeur, d'être rassuré; mais il ne s'y prend pas avec beaucoup d'habileté car son émotivité le rend subjectif et l'empêche de s'adapter facilement aux ambiances nouvelles. Casanier, gentiment conformiste, il est du genre à ne jamais quitter sa basse-cour, tout en rêvant, la crête en berne, qu'il est un oiseau de paradis volant à tire d'ailes au-dessus d'un paysage exotique...

Le Coq/Cancer a des qualités de ténacité, de force intérieure, mais il faut lui laisser le temps de penser à ce qu'il va faire : ce n'est pas un spécialiste de l'action immédiate. Il peut même sembler passif, absent. Méfiez-vous! Si vous attaquez sa famille il se transformera en coq de combat. En fait, il n'est jamais aussi heureux que parmi les siens. Tant qu'on ne le remet pas brutalement en question, il est délicieux, affectueux, tendre, stable, et tout, et tout. Dites-lui que vous l'aimez, lissez-lui les plumes, il en a besoin, car cet être adorable manque de confiance en lui, et risque de s'épuiser en fanfaronnades s'il ne se sent pas apprécié.

COQ  LION

Les natifs du Coq, en général, sont un brin vaniteux et apprécient le luxe. Les Lions, eux, sont fiers... Et ils aiment aussi le luxe. C'est dire que le Coq/Lion, s'il naît sur les remblais d'un bidonville, n'aura de cesse d'en sortir. Son rêve : un poulailler en or massif, au sommet d'un building, d'où il pourrait contempler le bidonville avec satisfaction. Perché là-haut, il n'en finira pas de crier cocorico-regardez-moi-comme-j'ai-réussi. Cela pourrait sembler un défaut, mais en fait c'est bien souvent une qualité, ou tout au moins une forme de sagesse : celle de savoir se satisfaire de ce qu'on a accompli.

Le Coq/Lion est honnête, il a même de la noblesse. Celle qui oblige... Il a toujours présente à l'esprit l'idée de l'effet qu'il va produire, et il voudrait que celui-ci soit toujours bon... Bien sûr, il est égoïste, comme tous les Coqs. Mais cela ne se voit pas trop car il veut paraître généreux et magnanime. Il y arrive, il n'y a guère que ses intimes pour s'apercevoir que faire plaisir aux autres le rassure et le conforte dans sa bonne opinion de lui-même.

Dans son travail, le Coq/Lion est autoritaire et énergique. Il a des rêves réalisables. Son building sera solide : vous pouvez envisager d'y habiter.

COQ  VIERGE

Ce n'est pas mal, pour un natif de la Vierge, de naître dans une année du Coq. Cela lui donne le zeste d'audace qui lui manque souvent pour réussir. Cela lui apporte aussi un vernis de confiance et d'assurance. Mais ce n'est pas qu'un vernis... Le Coq/Vierge est un inquiet. Il travaille, travaille, travaille. Il ne s'accorde pas le droit d'arrêter, imposant à lui-même – et à ses subordonnés – une discipline stricte. C'est qu'on ne sait pas de quoi demain sera fait... Des fois qu'un renard mal intentionné viendrait semer la pagaille dans la basse-cour... Évitons-cela, soyons raisonnable, et constituons-nous une bonne provision de vers de terre et de grain, se dit le Coq/Vierge.

On pourrait le croire modeste. Ce n'est pas tellement vrai, car la Vierge est signe d'été, et ce sont les Coqs nés au Printemps qui sont les moins fanfarons. Le Coq/Vierge, en fait, a besoin de briller, mais en petit comité. Son cocorico chante pianissimo... Mais chante quand même. Essayez de le faire taire, et vous verrez... Il vous attaquera à coups de bec. Le Coq/Vierge est éperdument attaché à ses structures, à ses idées. Il s'appuie sur des principes et ne supporte pas qu'on en mette la valeur en doute. Allons, soyez bon prince... Laissez-lui ses béquilles. Elles sont si bien cirées...

COQ  BALANCE

Cet alliage possède, à première vue, quelque chose de tout à fait positif : en effet, la Balance se distingue en général par de la diplomatie et un sens aigu des nuances. Il est rarissime d'entendre une personne marquée par ce signe affirmer une idée « extrême ». L'influence sera heureuse pour le Coq, qui mettra spontanément un peu d'eau dans son vin au niveau de ses opinions. Attention : cela ne sera pas suffisant pour en faire un porte-parole plein de délicatesse. Mais il essaiera d'éviter les exagérations, et de ne choquer personne.

En fait, le Coq/Balance est très bavard. Il adore discuter, parler, argumenter, mais il ne dit pas n'importe quoi. On l'imagine très bien en avocat, ou en général, faisant des discours... sur les bienfaits de la paix dans le monde, à quelques braves troufions surpris. Le Coq/Balance est parfois un peu ostentatoire; en tous cas il soigne son apparence et son cadre de vie; il est assez dépensier en ce qui concerne son confort. Plutôt prudent, pour un Coq, il fera quand même pas mal de bêtises sentimentales, ayant tendance à juger les gens sur leur extérieur, à les idéaliser.

Profondément, le Coq/Balance est un conformiste. Il s'éloigne rarement de la légalité. En fait, il serait drôlement content d'avoir la Légion d'honneur...

COQ/SCORPION

Un conseil : avant d'entamer une polémique avec un Coq/Scorpion, regardez où vous mettez les pieds. Pendant que vous y êtes, évitez également d'entrer en compétition avec lui. Il est redoutable. D'une part, parce qu'il a de l'énergie et du courage; d'autre part, parce qu'il ne manque pas d'autorité, et lorsqu'il n'agit pas lui-même, il sait très bien faire agir les autres. Mais surtout, surtout... il a la langue bien pendue. Son esprit critique est exacerbé, et son agressivité latente s'extériorise par la parole. Il peut paraître méchant. Ce n'est pas toujours le cas, mais, avouons-le, il ne résiste guère au plaisir personnel de « piquer » ses adversaires au défaut de la cuirasse. Parfois il le fait aussi avec ses proches et ses amis. C'est plus gênant... Remède : éclater de rire, et lui répondre vertement, en riant. Il acceptera, car il a de l'humour. Noir.

Le Coq/Scorpion aime dominer, mais en prenant des chemins détournés. Les routes nationales ne l'intéressent pas : il aime surprendre, prendre les gens de court. En conséquence, il est souvent incompris, d'autant plus qu'on le juge selon les apparences... Alors qu'au fond il a besoin de sécurité, surtout sur le plan affectif. S'il est le maître dans sa basse-cour, les poules y seront grasses; mais s'il vit dans la nature, sans attaches, il mettra la pagaille dans tous les poulaillers du voisinage. C'est bon à savoir...

COQ  *SAGITTAIRE*

Le plus hâbleur des Coqs. Il cause, il cause... Il n'arrête pas de parler de ses projets, qui sont grandioses, naturellement. Il va partir évangéliser la terre, lutter pour la survie de l'Humanité, que dis-je, l'humanité... c'est trop modeste : il faudrait plutôt employer les termes de cosmos, d'univers... La nuit, il vous racontera, en chuchotant assez fort pour que les voisins entendent, sa dernière conférence avec des extra-terrestres. Attention, il n'est pas menteur, mais simplement enthousiaste... Et un peu exalté.

Le Coq/Sagittaire va rarement au bout de ses folles entreprises car il tient quand même à son confort. C'est un aventurier des chaumières. Il n'a pas son pareil pour raconter des histoires aux enfants qui ne veulent pas s'endormir...

Ce personnage chaleureux, décontracté, indépendant, a beaucoup de charme, mais il a besoin de liberté, surtout dans son adolescence. Avec l'âge, il peut devenir un peu dogmatique et vouloir faire profiter tout le monde des fruits de son expérience... Mais il ne laisse jamais tomber les orphelines en détresse. Son courage, sa loyauté, sa fidélité en amitié font qu'on lui pardonne beaucoup de gaffes.

COQ  *CAPRICORNE*

Le côté fanfaron des natifs de l'année du Coq se transforme ici en une sorte d'autorité froide et rigoureuse. Le Coq/Capricorne est intègre, juste, mais ne s'embarrasse guère de nuances. Sa franchise lapidaire n'est que très peu appréciée de Monsieur Tout le Monde, car elle a le mérite d'être irréprochable. Les « pieux mensonges » ne sont pas son genre. Ce n'est pas qu'il soit dur : au contraire, il a du cœur, il est solide, on peut s'appuyer sur lui, c'est un ami fiable... Mais son honnêteté foncière lui interdit de faire la moindre entorse à la vérité.

C'est aussi le plus travailleur, le plus lucide des Coqs. Il ne sait vraiment pas s'arrêter, sans cesse obsédé par le désir de terminer ce qu'il a entrepris et de « ne laisser nulle place où la main ne passe et repasse »... C'est un perfectionniste que l'effort intéresse autant que les résultats.

Le Coq/Capricorne est apprécié en société, car il est courtois et se comporte avec aisance et discrétion; en outre, sa conversation est intéressante, car il connaît toujours bien ce dont il parle. Dans certains cas il peut développer une tendance à la philosophie, à la réflexion abstraite; sa vie intellectuelle est fréquemment plus riche que sa vie sentimentale, qui est semée de périodes de solitude.

COQ/VERSEAU

L'alliance de ces deux signes amplifie considérablement la tendance à l'utopie qui existe à l'état latent chez les deux. Le Coq/Verseau est un grand idéaliste qui songe sincèrement et généreusement au bien-être de l'humanité en général, et de son entourage en particulier. Sans se lancer dans de folles aventures, comme le Coq/Sagittaire, il est prêt à donner beaucoup de lui-même pour « arranger les choses ». Il a la tête pleine d'idées et de trucs ingénieux destinés à améliorer l'existence, autant sur le plan pratique que sur le plan humain. C'est un conseilleur-né, bourré d'intentions aimables, avec un zeste de dévouement, le tout couronné d'une bonne dose de naïveté. Il a réponse à tout et adore qu'on lui demande son avis. Mais il peut manquer de logique et d'objectivité.

En société le Coq/Verseau est aimable, disert; il donne l'impression de savoir énormément de choses; c'est qu'en fait il est aussi doué pour écouter que pour parler, ce qui est toujours agréable pour les autres.

Ce roi du dialogue n'est en revanche guère sécurisant sur le plan affectif. Il risque, simplement pour faire plaisir, d'en promettre

Page précédente :
Coq/Poissons: aime plaire.

plus qu'il ne peut tenir, puis de s'évanouir en fumée dès qu'on le met au pied du mur. Car il a encore plus peur d'être possédé que de faire de la peine.

COQ/POISSONS

Coq insaisissable. Ses plumes sont des écailles lisses et humides sur lesquelles on cherche en vain un point d'ancrage. Il a pourtant de grandes qualités : il est humain, sensible, dévoué. Il peut, pendant des heures, vous écouter raconter vos malheurs d'un air compatissant. Ensuite il vous donnera son avis, d'un air pénétré, en émaillant ses phrases de réflexions du style « Bien sûr, je n'en suis pas sûr », « Je peux me tromper », etc. Voilà son problème : il n'est pas sûr de lui. Il est, souvent, tiraillé entre deux choix possibles, l'un romantique, l'autre sécurisant sur le plan matériel. Il ne sait jamais exactement s'il est rapace ou victime, s'il va décider de se sacrifier ou bouffer allégrement tout le monde.

Il est rêveur, étourdi, un peu ici – un peu ailleurs. De quoi vous donner envie de le ligoter sur son perchoir. Même ainsi, il continuera à vous échapper, en pensée. Inutile donc de faire la dépense d'une pelotte de ficelle ou d'une paire de menottes.

Le Coq/Poissons est très bavard. C'est un fleuve de mots harmonieux qui coulent, coulent... Et qui séduisent, car il aime plaire et possède sur ce plan beaucoup d'habileté, une immense faculté d'adaptation. Jamais pris au dépourvu, débrouillard sous des allures absentes, il s'en sortira toujours, mais non sans cicatrices.

CHIEN +

CHIEN  BÉLIER

Ce n'est pas mal du tout pour le Chien anxieux de naître sous le signe du Bélier. Cela lui apporte un petit zeste d'insouciance, le dynamise et l'aide à s'extérioriser. Le Chien/Bélier est moins tâtillon que ses congénères. Il sait réfléchir, analyser les situations, mais il est également capable d'agir vite, de foncer. En somme, c'est un être assez complet.

Très idéaliste et peu préoccupé de son confort personnel, le Chien/Bélier fera plus d'efforts pour améliorer la vie quotidienne de ses proches que pour pouvoir s'acheter un costume neuf. Il se moque des apparences comme de sa première chemise – d'ailleurs peut-être qu'il porte toujours la même, bien propre mais un peu effrangée aux poignets... Les neuves, il les a distribuées aux pauvres. Il est trop généreux pour avoir le sens de la propriété. Si vous aimez que l'on soigne vos cadeaux, ne lui en offrez pas... Ce n'est pas par négligence, mais il pensera sincèrement qu'un tel en a bien plus besoin que lui.

Le Chien/Bélier a toutes les qualités d'un lutteur exceptionnel, à condition d'être motivé par une injustice quelconque. Mais le sens de la stratégie lui fait défaut. Il aurait besoin d'un compagnon pour dresser des plans de bataille à sa place.

CHIEN  TAUREAU

Là aussi, l'alliage est positif. Le Chien profitera du bon sens, de la constructivité et de la sensualité saine du Taureau. Il y perdra un peu de son scepticisme et apprendra à profiter de la vie. Intelligent et possédant une bonne faculté d'assimilation, il saura profiter des expériences et en tirer un enseignement. Réaliste, le Chien/Taureau peut faire un bon homme d'affaires, un chef apprécié par son sens de la justice et sa simplicité. Le moins que l'on puisse dire, c'est qu'il n'est pas snob : il aime être à l'aise, moralement et physiquement.

Il risque de rencontrer quelques difficultés sentimentales : passionné, fidèle, aimant, il est terriblement inquiet à l'idée de perdre ce qu'il aime. A force de chercher à se rassurer sur la valeur des sentiments qu'on lui porte, il devient parfois agaçant. Sur le plan matériel, il est également très attaché à ses possessions et souffre beaucoup du moindre renoncement. Chauvin, attaché à sa maison, à sa famille, à ses origines, il protège sa sécurité avec obstination. Un vrai Chien de garde... Si vous aimez un Chien/Taureau et qu'il vous rende ce sentiment, vous êtes tranquille pour la vie. Mais ménagez-le : c'est un gros sensible, un peu pataud et maladroit, et il a besoin de tendresse.

CHIEN/GÉMEAUX

La nervosité des Gémeaux, leur instabilité latente n'arrangent pas les affaires du Chien. C'est un animal nerveux, qui ne tient pas en place et ne sait pas tellement s'il doit rester chez lui à protéger la maison, ou aller faire un tour dehors, histoire de voir ce qui s'y passe. Sa curiosité l'aide à surmonter son inquiétude; il est sociable, aime la compagnie, mais peut surprendre par des alternances de bavardage et de repli sur soi.

En fait le Chien/Gémeaux est à la recherche d'une stabilité qu'il a du mal à trouver en lui-même. Il cherche, cherche, renifle partout... C'est un Chien truffier! A force de fouiner, il peut trouver un trésor, mais aussi se faire griffer par un chat en maraude, car il n'est pas assez méfiant ni sélectif dans ses relations. Ses enthousiasmes comme ses découragements sont intenses et l'exposent à vivre des hauts et des bas pendant une bonne partie de sa vie. Son parcours du combattant est fort proche des montagnes russes.

Soutenu par une personne stable et paisible qui l'aiderait à organiser sa vie et à définir ses buts, ses limites et ses frontières, le Chien/Gémeaux peut s'épanouir, devenir plus détendu et même brillant. Mais il n'est pas fait pour vivre seul.

CHIEN/CANCER

Si vous rencontrez un Chien/Cancer, ne vous fiez pas aux apparences. En effet, il semble souvent complètement indifférent, blasé, blindé. Abandonné de tous, vilipendé et incompris, il esquissera un petit sourire méprisant : « Je ne vais pas me laisser entamer par une telle bricole, voyons! » Alors, vous vous direz : « Mais il ne sent vraiment rien, ce type-là »... Et vous aurez tort, naturellement. Le Chien/Cancer est peut-être, parmi tous les alliages possibles entre signes chinois et signes occidentaux, le plus sensible, le plus émotionnellement fragile, le plus vulnérable. Mais c'est un champion de la tranquillité appliquée. Pourtant, sous sa cuirasse, il est couvert d'écorchures, et il cicatrise mal...

Le Chien/Cancer ressemble à un réservoir inépuisable rempli du « lait de la tendresse humaine » dont parlait Shakespeare. Il se met toujours à la place des gens, les comprend, les plaint et voudrait les défendre. Inutile de préciser que cela lui barre les carrières où un esprit combatif est indispensable... A moins que cela soit pour aider un opprimé contre d'affreux spéculateurs. On l'imagine bien « dans le social ». Il – ou elle – ira volontiers éplucher les légumes d'une famille dans le besoin, sous les yeux émerveillés d'un tas de mioches affamés. La soupe prête, il n'y aura pas besoin de la saler : il aura tellement pleuré dedans, en cachette...

CHIEN LION

Chien de traîneau. S'il est motivé (élément toujours essentiel pour un natif du Chien) il fera, sans fatigue apparente, et sans se plaindre, le tour de la terre en traînant le lourd fardeau des responsabilités qu'il endosse avec une remarquable élégance. Il a, profondément, l'impression d'être quelqu'un de valable, d'avoir un pouvoir, un magnétisme dont beaucoup sont dénués. Et cette force, il veut l'utiliser dans un but non égoïste. C'est un grand monsieur, ce Chien/Lion.

Bien sûr, il a des points faibles : puisqu'il aime aider, il trouve incompréhensible que l'on refuse sa protection. De même, s'il se retrouve en queue de l'attelage, il dévorera tout crus les autres chiens jusqu'à ce que sa suprématie soit reconnue. Non, non, ce n'est pas par cruauté... Vous n'y êtes pas du tout! Simplement, il n'est pas vraiment sûr de pouvoir faire confiance aux autres. Il vaut mieux pour tout le monde que ce soit lui qui mène le jeu. A vrai dire, personne n'allie à ce point une telle certitude de sa valeur avec un tel manque d'égoïsme. Attention : s'il se met à douter de lui, ce sera affreux. Sa Seigneurie Chien/Lion se transformera en petit roquet amer et revendicatif. Aidez-le à croire en son utilité...

CHIEN VIERGE

L'œil inquiet, aux aguets, il reste dans sa niche, espérant de toutes ses forces que personne ne viendra attaquer son univers parfaitement structuré, car cela l'obligerait à se battre. Or il déteste ça. Ce Chien pacifique mais nerveux et angoissé cherche par tous les moyens à se protéger, à l'avance, de dangers auxquels il n'est pas certain de pouvoir faire face. Car en plus, il se dévalorise, il a des complexes, il est compliqué, crispé...

Doux et fidèle, il prend très au sérieux son rôle de gardien du foyer et des valeurs morales sans lesquelles, à son avis, la société ne serait plus qu'un épouvantable capharnaüm. Il a l'âme d'une sentinelle. Tout ira bien si l'armée est derrière les fortifications, prête à fondre sur l'envahisseur : car cela, ce n'est pas son job.

Le Chien/Vierge a grand besoin d'ordre : cela le sécurise. Il est minutieux, précis, et étiquette ses émotions pour ne pas les laisser le submerger. Pudique, timide, il ne sait se déclarer. Il vous regarde avec des yeux humides dans lesquels s'abrite toute la tendresse du monde. Un geste, et il vous sera dévoué, *ad vitam aeternam*. Une phrase sèche, et il courra se réfugier dans sa niche, l'oreille basse. Sensible et susceptible, il a besoin d'être sécurisé. Offrez-lui un système d'alarme modernisé : il pourra, enfin, dormir...

CHIEN BALANCE

Le Chien/Balance est un individu sociable, hésitant et perfectionniste, qui recherche l'équilibre idéal mais fait preuve malgré lui d'une telle exigence, d'une telle sélectivité qu'il manque

十里香盈谷六月雪封枝
玉蘭干側畔芳度見仙姿

souvent une fleur à son parterre ou un cube à son édifice. Dans ce cas, il démolit puis il recommence, l'œil attentif : dans quelques siècles, il aura réussi à recréer le jardin d'Eden, sans le serpent, bien entendu.

Il est bourré comme un canon de tout un tas de dons d'organisation, d'esthétisme, a beaucoup de tact, de sens des nuances : délicat, il n'oublie jamais un anniversaire et adore offrir des fleurs. Mais il n'impose que très rarement sa science et ses idées, pour éviter des histoires ou d'éventuels conflits. C'est un apôtre de la non-violence, un justicier conciliant qui avance sans heurts et résoud les problèmes avec discrétion et diplomatie. Il risque d'être souvent envahi d'un tas de parasites qu'il ne sait pas jeter dehors, car il a si bon cœur...

S'il veut faire vraiment quelque chose de concret dans la vie, il aurait intérêt à s'allier à quelqu'un d'énergique et d'entreprenant, sinon il pourrait sombrer dans le dilettantisme. Il faudrait également qu'il parvienne à se motiver pour un combat personnel, bien que ce soit plutôt contraire à sa nature... Il a un peu trop besoin des autres.

CHIEN  SCORPION

Le Chien/Scorpion n'est guère sociable et il déteste les manifestations mondaines; plongé dans une ambiance superficielle (à ses yeux tout au moins) il critiquera allègrement l'assistance, les meubles, le quartier et les peintures, puis s'en ira en laissant derrière lui une assistance pétrifiée. Spécialiste des phrases percutantes mais parfumées au vitriol, il estime qu'il sera plus utile aux autres en leur servant une analyse bien sentie de leur comportement qu'en leur susurrant des flatteries sirupeuses.

En fait, son problème se situe au niveau des différences profondes qui le séparent du reste de l'Humanité. Incapable, viscéralement, d'embellir sa vie de petites compromissions, le Chien/Scorpion est souvent solitaire et développe aisément une sorte de complexe d'exclusion : il se sent rejeté, repoussé, même lorsque ce n'est pas le cas. Inquiet, anxieux, angoissé, tourmenté, il est doté d'une lucidité qui l'éloigne à tout jamais des illusions réconfortantes. Il peut en devenir cynique et désabusé. Il a pourtant de grandes qualités : force intérieure, résistance, courage,

Chien/Balance : adore offrir des fleurs.

abnégation... Mais ne sait guère s'en servir au niveau du quotidien. Évitez, autant que possible, de l'attaquer : c'est un méfiant virulent, et, dans le combat, il adopte volontiers la philosophie expéditive du « on tire d'abord, on cause après... ».

CHIEN/SAGITTAIRE

Chien indépendant. Il a besoin d'espace, de liberté, et ne saurait se contenter d'être sorti deux fois par jour. Il a tendance, tant sa vitalité est grande, à gambader et à aboyer un peu après tous les passants... Il est donc important de lui inculquer, dans son jeune âge, un minimum de discipline et de respect des convenances, moyennant quoi il fera de grandes choses.

Le Chien/Sagittaire est un idéaliste au sang chaud qui se serait certainement senti plus à son aise en chevalier du moyen âge, portant haut les couleurs de sa belle, qu'aujourd'hui, obligé de faire la queue aux guichets des Postes ou de la Sécurité sociale. Le Service, il est pour, mais il faudrait que ça aille vite.

C'est aussi un moraliste, un défenseur du droit à tous les niveaux, à condition que cela parte d'une certaine hauteur. Il a tendance à qualifier les soucis journaliers de mesquins. Actif, il entraînerait volontiers tout le monde dans sa quête du Graal. Pourvu que l'intendance suive... Dans ses amours, le Chien/Sagittaire est fidèle, non pas par conformisme mais par sens de l'honneur. Toute tromperie lui est odieuse, et il souffre beaucoup lorsque la loyauté d'autrui n'est pas au rendez-vous.

CHIEN/CAPRICORNE

Il me fait penser un peu à ces merveilleux chiens de berger qui veillent aux abords des grands troupeaux, apparemment paisibles mais au fond en perpétuelle alerte, prêts à ramener vers la sécurité les brebis égarées et les agneaux récalcitrants. Le Chien/Capricorne a un sens très élevé de son devoir et de ses responsabilités, et il ne dort que d'un œil. Réservé, froid, distant, quand il sourit on a l'impression qu'il fait la grimace : c'est qu'il n'a pas l'habitude... On le croit détaché, glacial, insensible, parce qu'il n'est pas démonstratif, ni bavard, ni éloquent. Mais quand vous serez dans la dèche, il vous aidera. Pas avec des paroles réconfortantes (ça, il ne peut pas...) mais avec des actes. C'est bien agréable...

Le Chien/Capricorne est un émotif rentré qui se cache derrière un très bel édifice d'ironie. Mais qu'un sentiment l'envahisse, et il perd ses moyens, rougit, pâlit... Et devient muet comme une carpe.

C'est un être fort sécurisant mais pas très facile à vivre car il est incapable d'accepter le moindre compromis. D'une honnêteté sourcilleuse, il respecte imperturbablement ses nombreux principes moraux et fait son devoir. « Fais énergiquement ta longue et lourde tâche, dans la voie où le sort a voulu t'appeler, puis, après, comme moi, souffre et meurs sans parler. » Cela ne vous rappelle rien ?

CHIEN/VERSEAU

Ingénieux et idéaliste, il rencontre rarement des tâches à la hauteur de son ambition et malgré toute sa bonne volonté ne se sent pas souvent motivé. D'où une vague amertume, de l'insatisfaction, dissimulées sous un comportement caustique. Le Chien/Verseau a un humour un peu cynique et désabusé dont il joue à merveille, mais il se demande souvent ce qu'il fait là. Si on l'attaque, il n'entend pas. Si on attaque ceux qu'il aime, il mord. Attention : il ne faudrait pas le prendre, à cause de son abord paisible, pour un toutou-à-sa-mémère. Le Chien/Verseau est tout à fait capable de se battre. D'un air absent. Il me fait penser à cette phrase de Jean Anouilh : « Si les soldats se mettaient à réfléchir, il n'y aurait plus qu'à apporter des chaises sur les champs de bataille »...

Il possède, à un degré intense, cette sorte de courage lucide qui en amène certains à risquer leur vie pour une cause à laquelle ils ne croient pas tout à fait. Fidèle à ses amitiés, dévoué à sa famille, il est généreux, indulgent, peu autoritaire. Mais secret. Lui arracher une confidence tient du miracle. Si vous y parvenez, ne vous étonnez pas s'il disparaît quinze jours : il récupère...

CHIEN/POISSONS

Chien imaginatif et charitable, il sera heureux et équilibré à condition d'avoir une vie affective stable. Il est en effet capable de souffrir interminablement, de s'enfoncer dans le pessimisme et la mélancolie, s'il ne peut extérioriser son affectivité.

Le Chien/Poissons adore rendre service, et il n'est jamais si heureux que lorsqu'on lui dit « je ne pourrais rien faire sans toi ». Cela le justifie et lui donne l'impression d'exister. Le problème, c'est sa passivité. Il laisse volontiers aux autres les responsabilités matérielles et le soin de faire bouillir la marmite; d'ailleurs, il n'est ni ambitieux, ni intéressé. On le voit très bien en hippie souriant, un peu déguenillé. Vous fondrez quand il viendra chanter sous vos fenêtres des ballades nostalgiques parlant d'un monde de paix, d'amour et d'harmonie. Au bout de quelques années, vous regretterez qu'il ne fasse que chanter.

Le Chien/Poissons a besoin d'une profession ne nécessitant ni discipline, ni structures précises. Vivre à son rythme en ayant juste de quoi manger suffit à son bonheur. Surtout, ne le bousculez pas. Cela pourrait le rendre enragé...

SANGLIER +

SANGLIER — BÉLIER

Ces deux signes ont en commun une haine de l'hypocrisie qui est tout aussi développée que leur incapacité à mentir. C'est dire que le Sanglier/Bélier est d'une sincérité touchante. Loyal et spontané, impulsif, il prend tout ce qu'on lui dit au sérieux et pour argent comptant; résultat, il se sent fortement concerné et a un mal fou à prendre du recul. Son destin est un peu de sauter d'enthousiasme en enthousiasme, et de foi aveugle en croyances naïves, au-dessus des dangereux marécages de la lucidité... Le problème du Sanglier/Bélier, c'est qu'il est naïf sans en avoir vraiment conscience – car le signe du Bélier se croit souvent plus rusé qu'il ne l'est et n'admet pas l'idée de « s'être fait avoir ». Le Sanglier, lui, en est conscient... Mais l'influence du Bélier lui enlève joyeusement cette objectivité. Un Sanglier/Bélier risque de faire bien des erreurs, dûes au fait que jusqu'au dernier moment il croit tirer les ficelles alors que la marionnette, c'est lui. Lorsqu'il sera bien couturé de cicatrices, il finira – peut-être – par comprendre que sa bonne foi est sans égale en ce bas monde... Alors il pourra développer ses qualités profondes et les utiliser. En effet, il a de l'autorité, de l'énergie, et sait faire la part des choses, étant à la fois impulsif et scrupuleux.

Attention : un Sanglier/Bélier déçu ou découragé réagit en fonçant, bille en tête, sur la cause de son chagrin. Évitez de vous mettre dans cette situation...

SANGLIER — TAUREAU

C'est l'hôte (ou l'hôtesse) idéal. Accueillant, chaleureux, pas snob pour deux sous, il n'a pas son pareil pour organiser des réunions décontractées, un peu paillardes sur les bords, mais tellement sympathiques... Au fond de lui-même se cache probablement une vague fascination pour les orgies romaines. Se vautrer dans un bain de sauces bien grasses, le cou entouré d'un chapelet de saucisses, et quelques odalisques voluptueuses et grassouillettes sur ses genoux charnus... Le rêve!

Le Sanglier/Taureau est un sensuel épicurien et jouisseur. Mais il n'est ni avide, ni possessif, ni avare : bien vivre est son but. Son problème? Il ne s'adapte pas facilement aux changements et refuse les compromis. Il est têtu comme un âne, et s'accroche désespérément à ses convictions idéalistes. Cela vous surprend peut-être, ce bon vivant constellé de taches de sauce, en train de brandir l'étendard de la justice? C'est pourtant bien lui... Il y a juste une petite contradiction entre son univers sensoriel et ses désirs abstraits. Lui trouve ça très normal, d'ailleurs. Si vous aimez un Sanglier/Taureau, ou si votre enfant appartient à ce type, sachez qu'il n'est jamais trop tôt pour lui faire entrevoir la nécessité d'un régime...

SANGLIER GÉMEAUX

La vivacité, le sens de l'à-propos et la ruse des Gémeaux sont d'un bon apport pour le Sanglier crédule. D'un autre côté, sa gentillesse native ôte aux Gémeaux un peu de leur causticité. C'est un bel alliage. La personnalité est souple, adaptable, sociable, prête à voir le bon côté des choses sans se laisser abuser pour autant. La curiosité d'esprit et l'intelligence sont développées : le Sanglier/Gémeaux s'intéresse à énormément de choses, il aime apprendre et se cultiver. La concentration lui est difficile, cependant, et il lui faudra beaucoup d'efforts sur lui-même pour aller vraiment jusqu'au fond et jusqu'au bout des choses et des êtres.

Il se peut que, parfois, le Sanglier/Gémeaux, par simple jeu, agisse à l'encontre de son idéal et se montre moins honnête que ses congénères; mais il s'arrêtera très vite dans cette voie, et culpabilisera à tour de bras d'avoir, l'espace d'une seconde, quitté le droit chemin. Peu prévoyant, il construira souvent sa maison avec des allumettes, comme un des petits cochons du conte. Il a tendance à croire que tout va toujours s'arranger grâce à un hasard providentiel. Heureusement pour lui, il est si charmant qu'il trouve toujours un endroit où se réfugier.

SANGLIER/CANCER

A côté du Sanglier/Cancer, le « Pélican lassé d'un long voyage » de Musset, vous savez bien, celui qui regarde ailleurs pendant que ses charmants rejetons lui dévorent les entrailles, eh bien, ce Pélican-là n'est qu'un amateur. Le Sanglier/Cancer est un parent-né. Un peu abusif, bien sûr, un peu étouffant, vous bourrant le crâne d'un tas de préceptes bien-pensants. Émotif, sensible et vulnérable, sa vie se passe souvent en un perpétuel combat défensif. Il se défend du péché, il défend ceux qu'il aime, il se défend des souffrances, il se défend de tout. Cela lui fait parfois perdre un temps précieux. Une attitude sceptique et un peu revêche fait partie de son masque : s'il effraye, personne ne l'attaquera, alors il sera tranquille et heureux...

Le Sanglier/Cancer a beaucoup de mal à résister aux tentations, mais il le sait. Il sait aussi qu'une fois engagé dans une passion, il ira jusqu'au bout – en mal ou en bien. Alors, il essaye à tout prix d'éviter les occasions de faire un faux pas.

A la fois doux et autoritaire, conciliant et têtu, il est remarquablement fidèle et supporte beaucoup de choses lorsqu'elles viennent de la personne aimée. Attention cependant : acculé, poussé à bout, il fait front. Et il est dangereux comme un sanglier sauvage.

SANGLIER  LION

Moi, j'aimerais bien, dans un système monarchique, avoir pour Roi un Sanglier/Lion. C'est un être pur, chevaleresque et généreux. Ce n'est pas lui qui ira manger des langoustes sous les palmiers si ses sujets en sont réduits aux pois et aux fèves, ou s'exhiber en Rolls en période de pénurie d'essence. Il a une idée tellement élevée de ses devoirs sacrés qu'il sera toujours prêt à donner le bon exemple, à payer de sa personne. Il est peut-être aussi naïf que le Sanglier/Bélier, mais chez lui c'est un choix délibéré. Je veux que le monde soit beau, j'ai dit!

Le défaut du Sanglier/Lion peut être un amour excessif du luxe et du lustre. Être adulé est sa drogue, et, malgré toute sa lucidité, il a du mal à résister lorsqu'on lui parle à la troisième personne, en assaisonnant le discours de quelques titres bien ronflants. Mais il ne se servira jamais de sa puissance aux dépens d'autrui. Il n'en dormirait plus jusqu'à la fin de ses jours...

Si vous avez besoin de sécurité, de confort et de fidélité, si quelques déceptions vous ont écorché l'âme, épousez donc un Sanglier/Lion : vous ne serez pas déçu.

SANGLIER  VIERGE

Voici un mélange susceptible d'aller vraiment d'un extrême à l'autre, sans passer, hélas, par les nuances intermédiaires.

En temps normal, le Sanglier/Vierge est un modèle d'honnêteté, de droiture, de fidélité, et j'en passe. Il a en effet à peu près toutes les qualités que souhaite une belle-mère, vous voyez? Pas fantaisiste pour deux sous, plein de componction, minutieux, perfectionniste, il ne laisse aucun détail au hasard, traque le grain de poussière, est à l'affût de la moindre faute de goût. A vrai dire, c'est un puriste qui voit parfois le mal partout, car sa notion du bien est très exigeante. Mais il suffit d'un rien, d'une petite tentation de rien du tout, pour qu'il bascule dans l'excès opposé, et se roule avec excès dans la fange, jetant aux orties avec une trouble délectation les pieux principes qui lui servaient de béquilles.

En conséquence, lorsque vous rencontrez un Sanglier/Vierge, ne vous fiez pas aux apparences : pensez au revers de la médaille. Soyez sûr, d'ailleurs, que vous ne vous ennuierez jamais avec lui... Si *vous* êtes Sanglier/Vierge, essayez de prendre conscience du fait que vous êtes à la fois le Dr Jekyll et Mr Hyde... Et tirez parti des deux. Rien ne vous résistera!

SANGLIER  BALANCE

Que d'hésitations! que de tergiversations! Je dirais bien ceci ou cela, mais est-ce que je ne ferais pas mieux d'attendre, ou de demander l'avis d'un tel? Mais un tel risque d'être de parti pris, et alors je pourrais me tromper et faire de la peine à ma petite sœur...

Le Sanglier/Balance est un modèle de mesure et de tolérance, mais il est prêt à toutes les faiblesses pour avoir la paix, éviter les disputes ou les conflits, préserver l'harmonie. Une personne énergique et décidée pourrait bien devenir... chèvre aux côtés de cet individu qui passe la plus grande partie de son temps à peser le pour et le contre en cherchant la solution idéale pour tout le monde, celle qui ne choque ni ne lèse personne, tout en respectant les principes et l'ordre établi, sans tomber bien sûr dans le fanatisme... Ouf! Ce Sanglier/Balance a l'étoffe d'un prix Nobel de la paix. Le seul moyen de le faire réagir vigoureusement est probablement de le mettre en face d'une injustice notoire, mais là encore il se mettra à la place de tout le monde. Il trouverait des excuses au pire criminel de tous les temps, absoudrait d'un même geste le Dr Petiot et Jack l'Éventreur. Confessez-vous à lui, si vous n'aimez pas les représailles.

SANGLIER/SCORPION

Voici, ma foi, une belle complémentarité. Il est bon, pour un Scorpion, de naître une année du Sanglier; cela le détend, cela lui insuffle un peu d'indulgence pour ses frères humains, et surtout cela l'incite à rechercher la paix et l'harmonie. De même, le Sanglier né entre le 23 Octobre et le 22 Novembre sera moins « poire », plus sélectif, plus critique. L'alliage est donc positif car il apporte au Sanglier ce qui lui manque : discernement, rage de survivre (soyons sûr que le Sanglier/Scorpion, bien que né aux approches du Jour de l'an, évitera de se laisser rôtir sauce Grand-Veneur : il dévorerait plutôt lui-même toute la meute... pour se défendre), scepticisme et perspicacité. C'est un Sanglier qui aura le nez fin...

D'autres tendances découlent de cet alliage : une sensualité exacerbée qui parfois peut mener à des excès fort négatifs, car on sait que le Sanglier qui a rencontré la boue s'y vautre, et que le Scorpion va en général au bout de ses entreprises. Avec cet individu, la recherche du plaisir peut mener loin... Et surtout devenir une fin en soi.

A l'intérieur de lui-même, le Sanglier/Scorpion risque de se sentir souvent tiraillé entre son goût de la tranquillité et sa tendance à la destruction.

SANGLIER/SAGITTAIRE

Ce Sanglier-là déborde de bonnes intentions. Il est rempli de principes honorables, d'idées bien-pensantes, et possède dans les trois tiroirs de sa mémoire un nombre impressionnant de proverbes et d'axiomes populaires : il se ferait volontiers le porte-parole de l'expérience et de la sagesse de l'Humanité. Pour le Sanglier/Sagittaire, il n'est pas de problème dont on ne puisse, avec un peu d'ingéniosité et beaucoup de bonne volonté, trouver la solution. Il réconcilierait les Atrides, transformerait la Mafia en œuvre de bienfaisance, et les cannibales en végétariens fanatiques. Il a le don de convaincre, par l'intensité de sa bonne foi et de son enthousiasme. Cet optimisme entêté risque de lui valoir des problèmes sentimentaux, car il se refuse énergiquement à voir les défauts de ceux qu'il aime : cela lui semblerait une trahison indigne. Avec lui, on a toujours le bénéfice du doute...

Déçu, le Sanglier/Sagittaire ne se laisse pas entamer longtemps : il recommence. Sa foi en l'Humanité, dans ce qu'elle a de meilleur, est admirable, touchante. On inventerait un paradis, rien que pour lui faire plaisir. Lui trouverait ça normal. Il porte son paradis en lui-même... C'est un heureux mortel : n'hésitez pas à rechercher son alliance.

SANGLIER/CAPRICORNE

L'influence du Capricorne accentue les tendances à l'autorité qui font déjà partie du patrimoine de notre Sanglier. Celui-là érigera l'honnêteté en religion, et son besoin de défendre ses principes sera tel qu'il guillotinera allégrement (en pensée tout au moins)

Sanglier/Capricorne :
un peu rigide et inflexible.

tous ceux qui les enfreindraient. C'est un individu extrêmement travailleur, un peu rigide, très persévérant, terriblement attaché à ses idées. Il est très difficile de le faire changer d'avis, à moins d'avoir une pleine valise de preuves irréfutables. Même dans ce cas, il lui faudra du temps...

Le Sanglier/Capricorne a toutes les chances de devenir très cultivé, car à sa curiosité intellectuelle insatiable s'ajoute le don d'approfondissement spécifique du Capricorne.

Fidèle à ses engagements, exigeant, il se prend souvent au sérieux, manque un peu d'humour, mais pas de sens pratique, ni de courage. Il peut être un chef inflexible, un père redouté : il n'a pas son pareil pour maintenir la discipline... Mais il n'est pas rigolo. Lorsqu'il sort une quelconque paillardise, cela surprend tellement qu'elle tombe lamentablement à plat...

SANGLIER/VERSEAU

S'il parvient à dominer, à maîtriser ses contradictions intérieures, le Sanglier/Verseau a toutes les chances de devenir un individu particulièrement équilibré. En effet, le Verseau est idéaliste, le Sanglier s'intéresse fort aux espèces sonnantes et trébuchantes. Mélangées, ces deux tendances permettent d'éviter l'excès.

Autre chose : le détachement volontaire propre au signe du Verseau retiendra souvent le Sanglier sur la pente glissante des tentations sexuelles. A la porte des bauges, la petite sonnette d'alarme-Verseau tintera à son oreille, lui disant « attention, tu vas trop loin »...

Le Sanglier/Verseau risque d'être beaucoup plus préoccupé de pureté que la plupart de ses congénères. Parfois, il pourrait se sentir fortement tiraillé entre l'ange et la bête qui se bagarrent bruyamment sous son crâne. Si, dans sa vie affective, il passe beaucoup de temps à hésiter entre les voluptés connues, quotidiennes, et l'exotisme trouble des nouvelles conquêtes, il se rattrapera sur le plan matériel : il est capable de faire fortune avec une œuvre de bienfaisance, et ceci sans tricher. Ne me demandez pas comment il s'y prendra...

SANGLIER/POISSONS

Pacifique et accommodant, le Sanglier/Poissons s'emballe rarement. S'il lui arrive, par extraordinaire, de se trouver au cœur d'une dispute, soyez certain que son étourderie (qui est exceptionnelle, avouons-le!) en sera la cause. Pour rien au monde, il n'irait chercher la bagarre... Ou alors, ce sera par jeu, et au moindre danger, à la moindre tension, notre Sanglier/Poissons reprendra son sourire de bonze.

C'est un personnage habile, poli et serviable, qui sait se faire des amis et les garder. Cependant – étourderie ou naïveté – il peut commettre des gaffes énormes, des fautes de tact stupéfiantes, dont il est le dernier à se rendre compte... Et qu'il est le premier à regretter. L'influence matérialiste du Sanglier, son goût de l'opulence sont d'un bon augure pour le natif des Poissons : il deviendra plus opportuniste et plus habile en affaires. Il saura, en fait, évaluer la part de rêve et de réalité, de travail et de détente qu'il peut fournir, et dont il a besoin. Agréable et compréhensif, le Sanglier/Poissons est très bien adapté à l'existence. Il se donnera beaucoup de mal pour éviter toutes les circonstances susceptibles de dévoiler son point faible : il est un peu craintif.

TABLE
DES MATIÈRES

La plupart des documents de cet ouvrage proviennent du Musée Guimet

Achevé d'imprimer à Montmagny
par les travailleurs des ateliers Marquis Limitée
en janvier 1983

Maquette : Michel Picar
Couverture : Tract
Illustration de Patrice Varin

Édité et distribué par :
Éditions France-Amérique
170 Benjamin Hudon
Montréal, H4N 1H8
(514) 331-8507

Dépôt légal : 1er trimestre 1983
Bibliothèque nationale du Québec
Bibliothèque nationale du Canada

Imprimé au Canada